Mij een zorg!

Mij een zorg!

DE TOEKOMST VAN DE SOCIALE ZEKERHEID

Samengesteld door Sjifra Herschberg

UITGEVERIJ BALANS

Omslagontwerp Bas Smidt
Omslagillustratie Illudirect / Hollandse Hoogte
Typografie en zetwerk Studio Cursief, Irma Hornman
Druk Bariet, Steenwijk

ISBN 978 94 600 3631 6
NUR 740

www.uitgeverijbalans.nl

Inhoud

AOW

Inleiding

De bundel *Mij een zorg. De toekomst van de sociale zeker-heid* bevat interessante essays waarmee we ons goed kunnen oriënteren op de toekomst van de sociale zekerheid in Nederland. De vraag waar we met ons stelsel van sociale zekerheid naartoe gaan, wordt niet voor het eerst gesteld. In de afgelopen vijftig jaar zijn hierover veel debatten en polemieken gevoerd. Zo herinner ik me nog de discussies halverwege de jaren tachtig in de vorige eeuw: moeten we naar een ministelsel, een stelsel met loongerelateerde uitkeringen of naar een basisinkomen? In die periode was er sprake van sociaaleconomische neergang, met massale werkloosheid. Spoedig daarna keerde het tij, kregen we meer economische groei en kwamen activering en participatie centraal te staan in het beleidsdiscours over de sociale zekerheid.

Ook nu, in het midden van het eerste kwartaal van de eenentwintigste eeuw, vragen we ons af hoe we duurzame economische groei kunnen realiseren en hoe de sociale zekerheid daarin past. Uitdagingen zijn er volop – denk aan de Europese integratie, de toenemende internationalisering, de veranderende verhoudingen op de arbeidsmarkt en in de werkgelegenheid, de vergrijzing en ontgroening, en de wijziging in sociaal-culturele voorkeuren (zoals de individualisering). Vraag is wat de consequenties hiervan zijn voor onze sociale zekerheid en hoe we hierop het best met het stelsel kunnen inspelen.

Velen zien sociale zekerheid als de kern van onze verzorgingsstaat, door sommigen ook wel welvaartsstaat genoemd. In een bepaald opzicht is het de belichaming van de
manier waarop we samenleven, van de ordening van onze
samenleving (overheid, markt, of iets anders?). Dat is erg
normatief, en dat blijkt ook uit de essays met uiteenlopende visies op de toekomst van de sociale zekerheid. Voor
een levendig en open debat is het zeer gewenst dat auteurs
vanuit verschillende politieke stromingen en partijen hun
zienswijze helder schetsen en ook hun normatieve uitgangspunten expliciteren. Dat maakt discussie én dialoog
mogelijk.

Ik heb dan ook met veel belangstelling kennisgenomen van
de vele opvattingen over de verzorgingsstaat, die in enkele
essays ook nader zijn uitgewerkt voor onderdelen van de
sociale zekerheid.

Zo werkt Corina Hendriks (verbonden aan D66) haar
pleidooi vanuit sociaalliberaal perspectief voor een overgang van de huidige verzorgingsstaat naar een zogeheten
ontplooiingsmaatschappij, uit in voorstellen tot aanpassing van de Werkloosheidswet (ww): inspanning moet
lonen, met ruimte voor de werkzoekende en de professional. Anton Hemerijck en Annemarieke Nierop (verbonden
aan de PvdA) komen op basis van hun pleidooi voor een
toerustingsagenda tot een andere uitwerking met betrekking tot de ww, en plaatsen deze agenda in het licht van de
behoefte aan een Europees sociaal investeringspact. Norbert Klein (verbonden aan 50PLUS) komt op basis van zijn
visie dat een nieuwe vorm van sociale zekerheid moet inspelen op de behoefte bij mensen, tot het voorstel om alle
bestaande socialezekerheidsregelingen te vervangen door
een voor iedereen beschikbaar sociaal budget gebaseerd op
het niveau van de huidige AOW-uitkering. Rutger Groot

Wassink en Femke Roosma (verbonden aan GroenLinks) willen een sociale zekerheid die de functies van bestaanszekerheid én activering waarmaakt, en komen op basis daarvan uit bij een basisinkomen. Voor Jan Westert (verbonden aan de ChristenUnie) en Jan Schippers (verbonden aan de SGP) leiden de nauw met elkaar verbonden beginselen van soevereiniteit in eigen kring respectievelijk subsidiariteit tot pleidooien voor een gekantelde verzorgingsstaat met meer eigen verantwoordelijkheid van burgers en hun verbanden (uitgewerkt in het thema noaberschap), dan wel een waarborgstelsel met de focus op het voorzien in een bestaansminimum (uitgewerkt voor de WIA, Wajong en Wsw). Genoemde beginselen uit de christelijksociale leer liggen ook ten grondslag aan het pleidooi van Raymond Gradus en Evert Jan Slootweg (verbonden aan het CDA) voor een activerend stelsel van sociale zekerheid en voor handhaving van het verzekeringskarakter van de AOW. Fleur de Beaufort en Patrick van Schie (verbonden aan de VVD) illustreren hun op liberale beginselen gebaseerde pleidooi voor meer eigen verantwoordelijkheid en minder overheidsingrijpen met de ontwikkeling van de AWBZ-kosten. Daartegenover schetst Arjen Vliegenthart (verbonden aan de SP) een veranderend perspectief op de verzorgingsstaat, toegespitst op de bijstand, waarbij hij zich baseert op de stelling dat solidariteit als basis van de verzorgingsstaat georganiseerd moet worden en om continu onderhoud vraagt. In lijn hiermee pleit ook Karen Soeters (verbonden aan de Partij voor de Dieren) voor handhaving van de verzorgingsstaat en werkt ze dit uit voor de langdurige zorg.

Mijn opsomming illustreert dat algemene visies op mens en maatschappij medebepalend zijn voor het voorgestane perspectief op de verzorgingsstaat. Er is een rijkdom aan opvattingen, een veelkleurig palet. Het mooie van deze bundel is dat elk – kort – essay dit perspectief koppelt aan een concrete uitwerking. Verder illustreren de essays zowel het maatschappelijke engagement van de auteurs als hun mijns inziens terechte bezorgdheid over de toekomst van onze verzorgingsstaat.

In nagenoeg alle essays gaan de auteurs in op de *roots* en de grondslagen van onze sociale zekerheid: welke verdeling van verantwoordelijkheden willen we voor het individu, de collectiviteit, de overheid? Hoe komen we tot een goed evenwicht tussen rechten en plichten, tussen solidariteit gebaseerd op wederkerigheid of op welbegrepen eigenbelang, en tussen enerzijds het bieden van veiligheid (zodat mensen risico's durven nemen) en anderzijds het tegengaan van moreel risico? Ook andere vragen komen al dan niet impliciet aan de orde: moet de sociale zekerheid zich richten op bescherming van het minimuminkomen of staat handhaving van de levensstandaard voorop indien een (sociaal) risico optreedt, hoe kan sociale zekerheid bijdragen tot maatschappelijke welvaart (activering; toerusting?) en hoe moeten we omgaan met zogeheten nieuwe sociale risico's?

De essays laten ook zien dat de sociale zekerheid (de verzorgingsstaat) in toenemende mate verweven is met andere domeinen, zoals de arbeidsmarkt, onderwijs en scholing, arbeidsrecht en -bescherming, gezondheidszorg en preventie. Een multidisciplinaire benadering van onze sociale zekerheid is dan ook zeker op haar plaats, met oog voor onder meer economische, sociologische, juridische en historische invalshoeken en tevens aandacht voor bijdragen uit de filosofie, psychologie en bestuurskunde.

De opdracht aan de auteurs kende beperkingen. Daardoor bleven regelingen en stelsels in het buitenland buiten beschouwing, terwijl internationale vergelijkingen eigenlijk onmisbaar zijn. In de beknopte essays mis ik ook aandacht voor de consistentie en coherentie van socialezekerheidsregelingen; het Nederlandse stelsel blijft nog steeds een vrij onoverzichtelijke lappendeken. Tot slot is niet ingegaan op de toekomst van ons economische en sociale model, met vragen als: op welke wijze willen we het verdienvermogen van onze economie vergroten? Dát is voor onze kinderen, voor de komende generaties, van cruciaal belang. De behandeling van deze thema's en vragen biedt misschien kansen voor een passend vervolg.

Door de rijke schare aan opvattingen en zienswijzen rijst de vraag hoe we in Nederland tot breed gedragen politieke besluitvorming kunnen komen. Kunnen we een maatschappelijk acceptabel compromis bereiken? Ik heb hierin veel vertrouwen. In de afgelopen decennia heeft Nederland laten zien een dergelijke uitdaging goed aan te kunnen, ook al ging dit soms gepaard met hevige politieke en sociale strijd. Maar ook de instituties van de Nederlandse overlegeconomie hebben hun steentje bijgedragen. Denk aan het Pensioenakkoord van de Stichting van de Arbeid en het kabinet, denk aan de adviezen van de SER over de hervormingen van de WAO/WIA, de WW en de AOW. Centraal in die adviezen stonden pleidooien voor een activerende participatiemaatschappij, voor een combinatie van enerzijds solidariteit voor de mensen die het echt nodig hebben (volledig en duurzaam arbeidsongeschikt) en anderzijds meer eigen verantwoordelijkheid voor degenen die nog wel (gedeeltelijk) kunnen werken. Ik ga ervan uit dat de instituties van de overlegeconomie ook in de toekomst een maatschappelijk relevante bijdrage kunnen leveren aan het debat en de besluitvorming over de toekomst van de sociale zekerheid. Dat lijkt me niet alleen gewenst, maar ook noodzakelijk, ook al omdat de meeste socialezekerheidsregelingen en de veranderingen daarin rechtstreeks raken aan de belangen van en verhoudingen tussen werkgevers en werknemers. Denk aan ontwikkelingen in de afgelopen periode, met bijvoorbeeld een verschuiving van risico's naar de werkgever (in de sfeer van ziekteverzuim en arbeidsongeschiktheid), de komende verschuiving van risico's naar de werknemer (in de sfeer van de aanvullende pensioenen), de opkomst van de zzp'ers en de toenemende diversiteit in arbeidsrelaties, het ontstaan van nieuwe collectiviteiten (onderlinge waarborgmaatschappijen en coöperatieven) en de belangen van werkgevers en werknemers bij het beheersen van de kosten van collectief gefinancierde zorg. In verband met het laatste punt ben ik zeer benieuwd naar de uitkomsten van verkenningen naar passende verbindingen tussen wonen, pensioenen en zorg.

Wiebe Draijer

Voorzitter Sociaal-Economische Raad

BIJSTAND

Wetenschappelijk Bureau SP
Bureau de Helling – Wetenschappelijk Bureau GroenLinks

De onwil om solidariteit te organiseren

Het was immers opmerkelijk hoe de regenten van gister op vandaag plotseling een andere taal leken te spreken. Alle dingen die altijd onmogelijk waren geweest en de ondergang van het maatschappelijk bestel zouden hebben betekend, waren nu plotseling de hoogste wijsheid geworden. Onder het kabinet-Aalberse vielen sociale verbeteringen als manna uit de lucht. Loonsverhoging, vrije zaterdagmiddag, ouderdomszorg en al die dingen, die wij hadden leren zien als 'socialistische leuzen om het volk op te zwepen', kwamen tot stand 'in overeenstemming met de polsslag van de tijd.'[1]

Politieke besluitvorming voltrekt zich soms langs ondoorgrondelijke wegen. Economen, historici en sociale wetenschappers hebben vaak moeite om maatschappelijke ontwikkelingen van een eenduidige interpretatie te voorzien, laat staan dat ze toekomstige ontwikkelingen kunnen voorspellen. Politici doen het wat het laatste betreft overigens niet veel beter. De grote omwentelingen van onze tijd kwamen vaak onvoorzien. De val van de Berlijnse Muur en het reëel bestaande socialisme, de opkomst van Pim Fortuyn en de herverkaveling van het Nederlandse politieke landschap, en het omvallen van de bank Lehman Brothers en de daaropvolgende financiële crisis: ze bepalen voor een groot deel de huidige samenleving, zonder dat ze van tevoren werden voorzien door politici van onze tijd.

Het ontstaan van de verzorgingsstaat heeft zich goeddeels volgens hetzelfde patroon ontwikkeld, getuige bovenstaand citaat van Fedde Schurer. Schurer, op latere leeftijd als exponent van de Doorbraakbeweging Tweede Kamerlid voor de PvdA, zag in zijn jonge jaren in Friesland de eerste aanzetten tot de ontwikkeling van een sociaal programma vanuit de staat. Met een opmerkelijke snelheid heeft de West-Europese verzorgingsstaat zich ontwikkeld, nadat er daarvoor decennialang, zonder echt groot succes, door burgers, vakbonden en (linkse) politieke partijen was gestreden. Was de zorg voor zieken, armen en ouderen tot het begin van de twintigste eeuw toch vooral een zaak van de charitas, de laatste eeuw kenmerkt zich grotendeels door de totstandkoming van sociale wetgeving op vele terreinen.

Vooral na de Tweede Wereldoorlog ging de uitbouw van de verzorgingsstaat snel, met de invoering van de AOW, de WW en de Bijstandswet. Deze uitbreiding ging gepaard met een brede maatschappelijke consensus over het nut en de noodzaak van een stevige door de staat gelegde fundering van het bestaansminimum. Deels ingegeven door de angst voor het communisme in Oost-Europa en de Sovjet-Unie, waar bestaanszekerheid retorisch tot uitgangspunt van het economisch beleid was uitgeroepen, deels door de dominantie van het keynesiaans denken sloten links en rechts de verzorgingsstaat in hun armen. Dat veranderde in de jaren zeventig van de vorige eeuw, toen – opnieuw redelijk plotseling – de economische ontwikkeling stagneerde. De uitgaven voor de verzorgingsstaat gingen navenant omhoog, net als de staatsschuld. Een nieuwe ideologie kwam op: het op het monetarisme gestoelde neoliberale gedachtegoed. Daarin was de verzorgingsstaat geen oplossing voor bestaande sociale kwesties, maar een hinderpaal voor verdere ontwikkeling. Sinds de jaren tachtig van de vorige eeuw is dit ook langzaamaan het dominante denken in de Nederlandse politiek geworden. Mede hierdoor staat de verzorgingsstaat vandaag de dag onder druk. Economen wijzen op de onbetaalbaarheid van de huidige voorzieningen, fraude en misbruik zouden het draagvlak onder de bevolking ondermijnen en de collectieve voorzieningen zouden niet langer recht doen aan een geïndividualiseerde samenleving.

Deze bijdrage stelt deze uitgangspunten ter discussie. Een uitgebreide verzorgingsstaat hoeft niet onbetaalbaar te zijn, noch economisch inefficiënt. De huidige arrangementen kunnen op een breed draagvlak in onze samenleving rekenen. Het grootste gevaar voor onze verzorgingsstaat zijn politici die niet langer bereid zijn om de verzorgingsstaat als georganiseerde solidariteit te verdedigen. Dat laatste is geen economische maar een politieke keuze, waarop op zichzelf natuurlijk eenieder recht heeft. Waar het misgaat, is als deze politieke keuze verdoezeld wordt door oneigenlijke argumenten over onbetaalbaarheid en gebrek aan draagvlak. Die laatste oneigenlijke argumenten ontnemen het zicht op het feit dat de toekomst van onze verzorgingsstaat staat of valt bij een beleid dat eraan hecht om burgers zekerheid te bieden in voor hen onzekere tijden.

De omvang van de verzorgingsstaat als zodanig heeft maar beperkte invloed op het economisch potentieel van een land. Scandinavische landen als Zweden en Denemarken laten al jarenlang zien dat een voldragen verzorgingsstaat goed te combineren is met een innovatieve economie en duurzame groei. Datzelfde geldt ook voor Nederland. De Nederlandse uitgaven voor de verzorgingsstaat zijn in mondiaal perspectief ver boven gemiddeld. In Europees perspectief zijn ze niet buitensporig hoog. Nederland geeft 23,0 van het netto nationale product uit aan sociale voorzieningen. Daarmee scoort het lager dan bijvoorbeeld Denemarken (30,6), Zweden (30,4), Finland (29,4) en Duitsland (28,9).[2] Deze landen doen dat zonder daar hun economische groei grote schade mee aan te doen. Sterker nog, 'de meest ambitieuze Scandinavische verzorgingsstaten, maar ook Duitsland, Nederland en Oostenrijk, kenden een bovengemiddelde groei in de tien jaar tussen 1997 en 2007. Dat wil zeggen dat er in termen van welvaartsontwikkeling geen sprake is van een uitruil tussen een hoog bruto binnenlands product (bbp) en de omvang van publieke sociale uitgaven',[3] schreef hoogleraar institutionele beleidsanalyse Anton Hemerijck recentelijk over deze kwestie.

Toch lijkt deze empirische observatie niet terug te komen in de dominante analyse dat de verzorgingsstaat een probleem is. Deze invalshoek vindt zijn oorsprong in de jaren tachtig, toen de toenmalige economische crisis de overheidsfinanciën uit het lood dreigde te slaan. In reactie hierop vonden links en rechts dat de sociale arrangementen geen toenemend beslag op overheidsuitgaven konden blijven leggen. De bezuinigingen die toen volgden, lieten echter tegelijkertijd zien dat alle voorspellingen dat de westerse democratieën vanwege hun verzorgingsstaten economisch het loodje zouden leggen, niet klopten. Toch verdween het idee dat uitgebreide verzorgingsstaten op den duur niet houdbaar zouden zijn nooit helemaal van de beleidsagenda. Dat komt vooral door de discussie die in de jaren negentig begon over de invloed die opkomende economieën zoals China en Brazilië zullen hebben op het welvaartspeil in West-Europa en de Verenigde Staten. Het dominante beeld in veel beleidskringen is dat een competitieve staat *lean and mean* moet zijn, anders zijn de kansen in het internationale spel snel verkeken. De opkomst van nieuwe, grote economieën zoals die van China en Brazilië, die zonder de ballast van grote overheidsuitgaven aan sociale voorzieningen in toenemende mate de concurrentie aangaan met de gevestigde postindustriële staten in Europa, vraagt van die staten een aanpassing. Ook dit beeld blijkt op zijn best in hoge mate vertekend,[4] wat overigens niet betekent dat het ook direct zijn invloed op politici verliest, zoals blijkt uit de meest recente ontwikkelingen op Europees niveau.

Toch is dit beeld langzaam maar zeker aan slijtage onderhevig. De economische crisis heeft in dat opzicht heersende opvattingen op hun kop gezet. Internationale organisaties als het IMF en de OESO (Organisatie voor Economische Samenwerking en Ontwikkeling) lijken hun receptuur aan beleidsoplossingen voor de crisis aangepast te hebben aan nieuwe inzichten. Rücksichtslos bezuinigen wordt nu afgeraden en loonmatiging als remedie om economieën weer competitief te maken is niet langer een panacee, maar zeer afhankelijk van de lokale omstandigheden. Vooral in Noord-Europa, waar de economische crisis toch vooral een vraagstuk is van te weinig (binnenlandse) vraag, zouden te harde bezuinigingen en loonmatiging een averechts effect kunnen hebben op het economisch herstel.[5] Econoom en Nobelprijswinnaar Paul Krugman stelde onlangs niet voor niets vast dat nog geen enkel groot economisch blok zich in de geschiedenis uit een economische crisis heeft kunnen bezuinigen.

Een stap verder gaat de nu overleden Britse historicus Tony Judt.[6] In zijn boek *Het land is moe* betoogt hij hoe de economische crisis juist veroorzaakt is door een beleid de afgelopen twee decennia dat het loslaten van economische en financiële regels combineerde met de afbraak van de verzorgingsstaat. De crisis is volgens Judt het gevolg van een morele crisis in het kapitalisme, waarbij het 'ieder voor zich' leidde tot de ondermijning van collectieve verantwoordelijkheden voor het sociaaleconomisch welzijn van de gehele maatschappij en een uitholling van de verzorgingsstaat.

Dit (goeddeels) internationale debat lijkt op dit moment voor een groot deel voorbij te gaan aan de meeste Nederlandse politieke partijen. Zij houden vast aan het idee dat door stevige bezuinigingen, ook op uitgaven voor de verzorgingsstaat, gecombineerd met loonmatiging de Nederlandse economie er weer bovenop komt. Het Kunduz-akkoord dat begin 2012, na de val van Rutte I, werd gesloten, ademt deze geest en ook Rutte II sluit bij deze uitgangspunten aan. Het ontslagrecht dient te worden versoepeld, het recht van ontslagen werknemers op een ww-uitkering moet worden ingeperkt en op sociale werkplaatsen wordt nog eens extra bezuinigd. In die zin is het dominante beleidsmodel voor de verzorgingsstaat in Nederland nog steeds levend. En dat is toch wat opmerkelijk, vooral gezien de positie van de PvdA gedurende de laatste verkiezingscampagne, waarin de partij aangaf dat juist de bovengenoemde elementen van te harde bezuinigen en loonmatiging de belangrijkste redenen waren om niet mee te doen aan het Kunduz-akkoord. Het is ook niet zonder ironie dat partijen die de SP normaal gesproken verwijten niet verder te kijken dan de Nederlandse dijken, dit internationale debat en de veranderende consensus over effectief sociaaleconomisch beleid hebben gemist.

Deze bijdrage haakt aan bij de analyse van Tony Judt. De centrale stelling van dit betoog is dat de grootste bedreiging voor de verzorgingsstaat vandaag de dag het niet willen organiseren van solidariteit is. Het organiseren van solidariteit tussen burgers in een samenleving is namelijk het fundament van onze verzorgingsstaat zoals die in de twintigste eeuw vorm kreeg. Of het nu ging om ouderdom, (beroepsgerelateerde) ziekte of werkeloosheid, de basis van de verzorgingsstaat is dat mensen gemeenschappelijk verantwoordelijkheid nemen voor elkaar. Dat was deels uit welbegrepen eigenbelang. Niemand weet immers wat de toekomst brengt en of je ziek wordt of werkeloos raakt. Volksverzekeringen zijn daar het meest sprekende voorbeeld van. Voor een ander deel was de georganiseerde solidariteit het gevolg van breed gedeelde opvattingen over wat er in een beschaafde samenleving georganiseerd diende te worden om te voorkomen dat mensen, soms buiten hun eigen schuld, tussen wal en schip vallen.

Het is opvallend hoe breed het maatschappelijk draagvlak voor deze georganiseerde solidariteit lange tijd was en nog steeds is. Niet voor niets concludeerde het Sociaal Cultureel Planbureau in 2005 het volgende: 'Gedurende de gehele periode 1970-2002 is er sprake van krachtige adhesie voor openbare voorzieningen in het algemeen. Toen het idee dat de overheid *veel meer* geld moet hebben aanhangers verloor, kreeg de opvatting dat er toch wel een *beetje meer* geld bij zou kunnen meer voorstanders. Door de jaren heen is zelden meer dan tien procent van mening geweest dat er echt minder geld voor de voorzieningen moest zijn.'[7] Deze steun geldt volgens het rapport ook voor kleinere inkomensverschillen. Tegelijkertijd vrezen veel burgers dat de verzorgingsstaat onder druk komt te staan. Hetzelfde SCP concludeerde in een rapport van een jaar eerder dat veel burgers zich zorgen maken over de toekomst van de verzorgingsstaat door de verharding van de samenleving en de versobering van tal van arrangementen die de kern vormen van deze verzorgingsstaat.[8]

Het opmerkelijke is dan ook dat de verzorgingsstaat populair is, maar dat politici de afgelopen twee decennia op verschillende manieren hebben geprobeerd de arrangementen te versoberen. Overigens ging dat vaak gepaard met het argument dat deze versoberingen noodzakelijk waren om de verzorgingsstaat te behouden. Tegelijkertijd wordt in toenemende mate de rol verkleind die overheden spelen in het organiseren van solidariteit. Terecht stelt oud-minister Bert de Vries (Sociale Zaken en Werkgelegenheid, CDA) dat het solidariteitsgehalte van de samenleving het afgelopen decennium onder het leiderschap van het CDA van Balkenende niet langer primair als verantwoordelijkheid van de overheid wordt gezien, maar dat het vooral op het maatschappelijke middenveld aankomt.[9]

Deze gedachte past geheel in het dominante denken in termen van eigen verantwoordelijkheid die de afgelopen twee decennia school maakte in het maatschappelijke discours. De afgelopen twintig jaar is het steeds gebruikelijker om in de politiek over eigen verantwoordelijkheid te spreken. Burgers zijn vooral de scheppers van hun eigen geluk of falen. Wie maatschappelijk succesvol is, heeft dat vooral aan zichzelf te danken. Wie dat niet is, moet de schuld daarvoor allereerst bij zichzelf zoeken. De nadruk op eigen verantwoordelijkheid kenmerkt de opmars van het (neo)liberalisme na de val van de Berlijnse Muur en het staatssocialisme, niet alleen in Nederland, maar overal in Europa. Individuele ontplooiingsmogelijkheden kwamen centraal te staan en de overheid werd van potentiële bondgenoot van burgers allereerst een probleem, dat te veel geld verspilde en burgers in de weg zou staan. De verzorgingsstaat, ooit opgericht om mensen zelf sturing over hun leven te laten behouden in onzekere periodes, diende te worden herzien en ingeperkt met als doel mensen vooral zelf te laten beslissen hoe ze met hun geld en leven omgaan.

Bovenstaande ontwikkelingen kunnen worden geïllustreerd door de ontwikkelingen op het gebied van de bijstand.[10] De Algemene Bijstandswet uit 1965 werd lange tijd gezien als de kroon op de verzorgingsstaat. Na de invoering van de AOW onder Drees, de WW en de WAO kreeg de naoorlogse verzorgingsstaat in een aantal opzichten zijn voltooiing. Bijstand werd met deze wet niet langer een gift uit liefdadigheid, maar een wettelijk recht. Niet voor niets typeerde verantwoordelijk minister Marga Klompé de invoering van de wet als een overgang 'van genade naar recht... Ik hoop dat iedere burger zal beseffen dat hij met een opgeheven hoofd een beroep op deze wet kan doen.'

De Bijstandswet verving de Armenwet uit 1912, die de financiële ondersteuning van burgers in nood als een gunst betitelde, niet als een recht. Burgers waren onder deze wet allereerst verplicht bij familie aan te kloppen – en als dat niets opleverde bij particuliere en kerkelijke liefdadigheidsinstellingen. Pas als dat allemaal niets opleverde, wilde de overheid bijspringen en dan wel in natura, wat burgers de mogelijkheid ontnam om zelf te bepalen wat zij met hun geld deden. Het is de verdienste van socialisten, sociaaldemocraten en christendemocraten dat aan deze bepalingen een einde kwam. Het is in dat opzicht niet zonder betekenis dat het juist een katholieke minister was – Klompé was lid van de KVP – die kerkelijke liefdadigheid op dit terrein overbodig maakte.

De Bijstandswet had overigens ook belangrijke emancipatoire gevolgen. Het maakte het bijvoorbeeld mogelijk voor vrouwen om van hun man te scheiden, als ze dat wilden. De wet bood financiële onafhankelijkheid en daarmee perspectief op een nieuw leven. Ook voor psychiatrische patiënten en dak- en thuislozen bood de Bijstandswet soms een nieuw perspectief op een volwaardig bestaan.

In de jaren tachtig van de vorige eeuw kwam er ook een keerzijde van de wet aan het licht. Midden jaren tachtig telde Nederland bijna een miljoen mensen in de bijstand, een aantal dat veel hoger was dan de bedenkers ervan ooit hadden gedacht. Dat leidde tot druk bij beleidsmakers om op dit terrein met aanvullende maatregelen te komen. Deze maatregelen hadden allereerst tot doel fraude aan te pakken, maar hadden daarnaast de ambitie om burgers in de bijstand een tegenprestatie te laten leveren voor hun uitkering. Deze doelstellingen kwamen onder meer tot uiting in de Wet werk en bijstand uit 2003, door critici ook wel de Wet water en brood genoemd, die als voornaamste doel had mensen weer aan het werk te krijgen. Een bijstandsuitkering werd nu verplicht gekoppeld aan een re-integratieproject. De wet werd in juli 2009 door minister Donner verder aangescherpt door mensen in de bijstand te verplichten na verloop van tijd vrijwel elke baan die hun werd aangeboden aan te nemen, in plaats van de verplichting om alleen werk dat in het verlengde ligt van de opleiding en werkervaring van de uitkeringsgerechtigde – zogeheten 'passende arbeid' – te accepteren.

Als gevolg van deze maatregelen nam het aantal mensen dat een beroep deed op de bijstand afgelopen jaren af. Eind 2011 keerde de overheid nog 316.000 bijstandsuitkeringen uit, waarbij het aantal uitkeringsgerechtigden nu, sinds het uitbreken van de crisis, weer stijgt. Het huidige aantal uitkeringen is ongeveer even hoog als aan het begin van het millennium.

Behalve het aanscherpen van de toelatingscriteria valt ook op dat het maatschappelijk discours over de bijstand en uitkeringsgerechtigden sinds een aantal jaren is omgeslagen. Het idee dat burgers met 'opgeheven hoofd' een beroep mogen doen op de bijstand, een maatschappelijk recht dat niet aan de particuliere sector overgelaten mag worden, komt onder druk te staan. Illustratief hiervoor is wellicht een deel uit de *maiden speech* van CDA-senator Wobke Hoekstra, nota bene lid van een partij (het CDA) waar de KVP in 1980 in opging:

'Zorgen voor degenen die dat zelf niet kunnen: kennelijk heeft het te maken met de kern van wat Nederland altijd is geweest. Kennelijk heeft het te maken met de kern van wie en wat wij willen zijn. Interessant is dat wij allen, ook hier in dit huis, er zo gewend aan zijn geraakt dat de Staat dat allemaal voor ons opknapt. Het aardige is dat in de periode waar ik het over had [Hoekstra sprak over de charitas in de zeventiende eeuw, red.], de Staat op dit vlak helemaal niets deed. Nee, de sociale zekerheid van toen was particulier initiatief. Het ging om door kooplieden betaalde armenhuizen en om diaconieën. Je zou bijna zeggen: dat klinkt als het maatschappelijk middenveld.'[11]

Het citaat kenmerkt de door De Vries geschetste breuk in het christendemocratisch denken over de rol van de staat in het garanderen van een bestaansminimum – een breuk die ook bij andere politieke partijen te ontwaren is. Het is ook niet zonder reden dat Hoekstra in het debat door diverse sprekers de geschiedenis van Marga Klompé voor de voeten geworpen kreeg, die in de woorden van GroenLinks-senator Tof Thissen niet de verzorgingsstaat hadden opgericht om 'mensen te pamperen, maar om degenen bij te staan die de steun van de overheid als representant van de solidariteit nodig hebben om overeind te kunnen blijven en in eigen kracht te kunnen komen, om mee te kunnen doen aan de samenleving, om uitdrukking te geven aan de politieke afweging en idealen dat een schatrijk land als Nederland niemand in de steek laat'.[12]

Daarmee komt de discussie voor een deel terug bij waar ze net voor de invoering van de Bijstandswet stond. Wat is de rol van de overheid als het gaat om het leveren van een bestaansminimum? In hoeverre spreken we over genade en wat is een recht? Van links tot rechts zal men het erover eens zijn dat bijstandsfraude per definitie zal moeten worden aangepakt. Dat deel vormt niet de kern van de discussie. Evenmin is de exacte hoogte van de uitkering het daadwerkelijk *pièce de résistance* – hoewel de hoogte van de uitkering voor de individuele gerechtigde van groot belang kan zijn. De principiële discussie zal zich de komende tijd – helaas – toespitsen op de vraag of mensen 'met opgeheven hoofd' een uitkering mogen aanvragen.

De afgelopen twintig jaar is de verzorgingsstaat onder politieke druk komen te staan, terwijl hij maatschappelijk op veel steun kon rekenen. Toch zijn de gevolgen van de hervormingen van de afgelopen jaren significant. Niet voor niets concludeerde Marcel van Dam in zijn boek *Niemandsland* dat er een nieuwe kloof gaapt in onze samenleving, waarin vijftien tot twintig procent van de mensen niet meer volwaardig in het sociale leven kan participeren.[13]

Maar de gevolgen van dit beleid zijn breder, getuige de groeiende apathie voor gemeenschappelijke waarden en verworvenheden. De nadruk op eigen verantwoordelijkheid lijkt zich slecht te verdragen met gemeenschappelijke belangen in bredere zin. Zo namen bankiers voor de financiële crisis heel goed hun eigen verantwoordelijkheid en wierpen ze daarmee de maatschappelijke orde haast omver, omdat hieraan op geen enkele manier in hun eigen of hun bedrijfsplannen enige waarde was toegekend. En zo konden directeuren in de (semi)publieke sector goed voor zichzelf zorgen en daarmee het publieke belang schade toebrengen. Ook in bredere zin staan gemeenschappelijke idealen op de tocht. En dat is niet vreemd wanneer politici en leidende opiniemakers jaar in, jaar uit hebben verkondigd dat mensen toch vooral goed voor zichzelf moeten zorgen.

De vraag hoe we de toekomst van de verzorgingsstaat zien, is allereerst een politieke vraag. Het is in dit licht dat de discussie over de verzorgingsstaat gevoerd zou moeten worden. Solidariteit komt niet vanzelf, maar moet georganiseerd worden en vraagt om continu onderhoud. Dat begint ermee dat overheden een beleid voeren dat mensen aan het werk krijgt en aan het werk houdt. Dat mag triviaal klinken, maar druist op dit moment in tegen het heersende idee dat ons land zich aan een Europese drieprocentsnorm zou moeten houden omdat het in ons belang zou zijn. Het economisch herstel van ons land wordt er danig door gehinderd en het leidt tot een toenemend beslag op bepaalde elementen van onze verzorgingsstaat.

In dat opzicht is het bijvoorbeeld geen gek idee om de huidige arbeidsverhoudingen kritisch onder de loep te nemen. De flexibilisering van de arbeidsmarkt heeft de afgelopen twee decennia een hoge vlucht genomen. Het aantal mensen dat geen vast contract meer krijgt of – vaak tegen wil en dank – werkt als zzp'er is flink toegenomen. Dit vraagt om een nieuwe strijd voor wettelijke rechten op het gebied van arbeidsomstandigheden en een eerlijk loon voor deze groep. Daarbij kunnen we bijvoorbeeld denken aan een ontslagvergoeding voor mensen met een tijdelijk contract, het actief tegengaan van payrolling, waarbij personeel in dienst komt van een bedrijf maar werkt bij een ander bedrijf, en een vergunningplicht voor uitzendbureaus. Een dergelijke strijd voor wettelijke rechten voor werknemers die anders sluitpost van ondernemingen worden, is altijd een intrinsiek onderdeel geweest van een linkse politieke agenda, maar vraagt in de huidige nieuwe arbeidsomstandigheden om nieuw elan. Ook voor mensen met een beperking of een gedeeltelijke arbeidsongeschiktheid zou een wettelijke regeling die grote bedrijven en de overheid verplicht om stageplekken en banen beschikbaar te stellen, een nieuw perspectief bieden om geen gebruik (meer) te hoeven maken van voorzieningen van de verzorgingsstaat. Juist om te voorkomen dat mensen een beroep moeten doen op voorzieningen van de verzorgingsstaat is het van belang dat ook de rechten van deze mensen op een redelijke manier gewaarborgd zijn. Dat ontlast de overheidsuitgaven en temt tegelijkertijd ongewenste vormen van loonconcurrentie en concurrentie op andere arbeidsvoorwaarden. De samenleving wordt er een stuk leefbaarder van.

Daarmee is niet gezegd dat de huidige arrangementen zelf niet tegen het licht gehouden mogen worden. Als het gaat om de organisatie van de verzorgingsstaat kan er veel verbeterd worden. Veel voorzieningen zijn op dit moment op nationaal niveau georganiseerd. De vraag is of dat wenselijk is. Het zou heel goed kunnen dat gemeenten het re-integratieproces van mensen beter ter hand kunnen nemen dan de huidige grote re-integratiebureaus. Ook als het gaat om de verantwoordelijkheid voor een sluitend vangnet van opvangvoorzieningen voor dak- en thuislozen kunnen gemeenten makkelijker en beter maatwerk bieden dan het Rijk. Dat geldt eveneens voor sommige aspecten in de zorg. Het is helemaal niet vreemd om sommige zaken naar de gemeenten over te hevelen, die daarbij dan wel voldoende middelen moeten krijgen. Het over de schutting kieperen van verantwoordelijkheden zonder het verstrekken van financiële middelen, zoals het huidige kabinet dat wil, zal eerder averechts werken.

Daarnaast is het niet meer dan logisch dat overheden ernaar streven mensen de mogelijkheid te geven om voor zichzelf te zorgen. In dat licht is het niet vreemd dat er beleid wordt ontwikkeld waarin actief gestreefd wordt om mensen weer terug in de maatschappij te brengen en daarbij ook in het werkzame leven. Enige drang daarbij is waarschijnlijk een onvermijdelijk element en het aanpakken van misbruik van bestaande regelingen een absolute noodzaak en prioriteit. Activerend arbeidsmarktbeleid bijvoorbeeld is een groot goed, net als het verplichten van burgers om in principe in hun eigen levensonderhoud te voorzien. Tegelijkertijd mag dat geen aanleiding zijn om dan de rechten van burgers die (tijdelijk) aan de kant zijn komen te staan zo in te perken dat ze uit het maatschappelijke leven gesloten dreigen te worden. De huidige eenzijdige nadruk op financiële prikkels om mensen terug in het arbeidsproces te krijgen zal op den duur veel mensen buiten hun eigen schuld in de problemen brengen. Slim beleid zet op meer prikkels in dan alleen op financiële en juist daarin is de afgelopen jaren te weinig geïnvesteerd.

Al dit onderhoud vraagt echter wel om politici die de signalen van de tijd goed interpreteren. Juist in crisistijd doet de verzorgingsstaat wat ervan gevraagd wordt en behoedt hij veel mensen voor een nog zwarter perspectief. Er is, zoals deze bijdrage aangeeft, geen reden te geloven dat een voldragen verzorgingsstaat geen toekomst meer heeft. Of hij de kans krijgt om de samenleving beschaafder te maken, is echter een politieke keuze waarover het pleit nog niet is beslecht. Daarbij mogen zij die de verzorgingsstaat een warm hart toedragen, putten uit de ontstaansgeschiedenis die in de inleiding werd aangehaald. De polsslag van de tijd kan zomaar veranderen, maar dat gebeurt niet zolang daar geen strijd voor wordt geleverd.

Arjan Vliegenthart

De auteur is directeur van het wetenschappelijk bureau van de SP.

Een basisinkomen voor alle volwassenen

Het negentiende-eeuwse proces van industrialisering betekende een definitieve afrekening met de zelfvoorzienende mens. Door de steeds verdergaande arbeidsdeling werd de arbeid specialistischer en werd loonarbeid de belangrijkste arbeidsvorm. De overgrote meerderheid van de populatie in de westerse wereld werd afhankelijk van het te gelde maken van haar arbeidskracht. Volgens Karl Marx vervreemdden mensen daardoor van het arbeidsproces en van de producten die zij maakten. Erger nog: het beprijzen van werk maakte arbeiders volledig afhankelijk van de markt. Voor het 'product' arbeid is dat problematisch, omdat de arbeider zijn arbeidskracht onder de marktprijs moet aanbieden als er geen goede prijs voor kan worden betaald. Anders staan zijn bestaanszekerheid en die van zijn gezin op het spel. Maar wanneer hij zichzelf aanbiedt onder de prijs van het bestaansminimum, kan hij evenmin in zijn eigen levensonderhoud en dat van zijn familie voorzien. Ook wanneer er geen arbeidskracht meer te verhandelen is als gevolg van ziekte, ouderdom of handicaps blijft men verstoken van een inkomen. Dit leidde tot schrijnende armoede en verpaupering. Het puur in geld uitdrukken van arbeid werd daarmee de belangrijkste drijfveer achter het huidige stelsel van sociale zekerheid. Juist in tijden dat mensen niet kunnen werken of niet voldoende geld kunnen verdienen, zijn zij verzekerd van een inkomen op ten

31

minste het bestaansminimum. De sociale zekerheid zorgt dus voor een 'ontprijzing' van arbeid: het maakt mensen in zekere mate onafhankelijk van de markt, het biedt enige bestaanszekerheid.

In welke richting worden we gestuurd door het huidige socialezekerheids- en arbeidbestel? Om te beginnen moeten we constateren dat in het huidige denken één thema domineert: het hebben van werk. Het credo dat werk de beste sociale zekerheid biedt, wordt zowel in de progressieve als in de neoliberale traditie omarmd. De progressieve benadering benadrukt de positieve prikkels om aan het werk te gaan. Het doel is emancipatie en zelfontplooiing, zodat mensen hun eigen keuzes kunnen maken en hun leven kunnen inrichten zoals ze zelf willen. De neoliberale benadering richt zich op het geforceerd aan het werk krijgen van de arbeidspopulatie uit economische noodzaak en als fundament voor de verzorgingsstaat. Vandaar ook de gedachte dat participatie een plicht is. De overtuiging dat werk belangrijk is voor emancipatie, onafhankelijkheid en zekerheid, wordt dus breed gedeeld. Het aan het werk krijgen en houden van de burger is sinds enkele decennia de belangrijkste focus van de welvaartsstaat geworden. Er wordt steeds meer nadruk gelegd op activering, op verantwoordelijkheden in plaats van rechten en op sociale insluiting (meedoen) in plaats van behoud van inkomen. Anderen spreken van een *enabling state*: een staat die mensen kansen biedt om mee te doen en werk te vinden, die participatie als het hoogste goed beschouwt.

In Nederland wordt in vergelijking met andere Europese landen veel waarde gehecht aan vrije tijd. Er is geen westers land waar (tot voor kort) zo weinig werd gewerkt als in Nederland. Toch heeft er in de afgelopen decennia een

verschuiving plaatsgevonden naar werk als alleenzaligma-
kende activiteit. Bij de hervorming van de sociale zekerheid
tussen 1982 en 2010 voerde het beleidscredo 'werk boven
inkomen' de boventoon. In navolging van het advies van de
Wetenschappelijke Raad voor het Regeringsbeleid (WRR)
Een werkend perspectief (1990) werd 'werk boven inkomen' richtinggevend. Het activeren van de burger stond
centraal en daartoe werd de sociale zekerheid versoberd
met het nuffige motto 'geen vangnet maar trampoline'.
Doel was het uitkeringsvolume terug te brengen, en daarmee een daling in de collectieve lasten te realiseren, en
door stijgende arbeidsdeelname de belasting- en premie-
opbrengst te verhogen. Het lukte om het aantal werkzame
personen te laten toenemen: van 5,8 miljoen in 1982 tot 8,7
miljoen in 2008, volgens het Centraal Bureau voor de Statistiek (CBS). Toch was het succes van de maatregelen dif-
fuus. De arbeidsdeelname nam toe en de werkloosheid
nam flink af, maar dat lijkt maar ten dele te zijn veroorzaakt
door de stelselherzieningen. Het paradepaardje van deze
periode, de re-integratiemaatregelen, lijken weinig effectief te zijn geweest, waardoor een 'inclusieve' arbeidsmarkt
nog altijd ver weg is. De omslag van een verzorgingsstaat
naar een participatiesamenleving werd dus ingezet, maar
nog lang niet gerealiseerd.

Sindsdien is de norm steeds nadrukkelijker geworden
dat werken goed is en niet werken slecht. De roep dat iedereen mee moet doen, geeft een krachtig signaal. Arbeidsparticipatie is een plicht geworden. Dat werd de afgelopen
jaren nadrukkelijk vertaald in beleid. Het concept van *Work
first* in de re-integratie zegt op zichzelf al voldoende. Met de
kabinetten-Rutte I en II krijgt het neoliberale denken een
verdere vertaling in beleid. Kort gezegd: de toegang tot een
uitkering moet verder worden geblokkeerd en ondersteu-
nende dienstverlening verdwijnt. De gedachte is dat om

een inactieve burger aan het werk te krijgen, de beste prikkel eruit bestaat hem volledig op zichzelf terug te werpen.

Behalve deze focus op deelname aan het arbeidsproces heeft zich nog een andere verschuiving voorgedaan: we zijn anders naar 'werk' gaan kijken. Werk is iets wat moet worden uitgedrukt in economische waarde of rendement. Mantelzorgers moeten worden betaald uit persoonsgebonden budgetten. Informele zorg moet worden getransformeerd tot formele arbeid. Zo bepaalt de Wet Werken naar Vermogen dat mensen die niet volledig arbeidsongeschikt zijn maar wel minder 'rendabel' als gevolg van arbeidshandicaps (van fysieke, psychische of psychosociale aard), werk moeten zoeken op de reguliere arbeidsmarkt. Zij worden dan betaald volgens een systeem van loondispensatie naar rato van hun loonwaarde (hun productiecapaciteit als percentage van het wettelijke minimumloon), zo nodig aangevuld tot boven het bijstandsniveau (maar onder het minimumloon). Hieruit spreekt het idee dat arbeid een product is dat rendabel kan worden ingezet. Werk, ook voor mensen met een arbeidshandicap, moet te gelde worden gemaakt. Deze benadering roept vele vragen op. Wie bepaalt wat voldoende opbrengst is? En welke gevolgen heeft de focus op economische meerwaarde voor de identiteitsversterkende functie van werk? Hoe voelt het om te weten dat je rendement te laag is? En te laag voor wat? Maar bovenal leidt de nadruk op renderend werk als norm tot een tweedeling tussen 'rendabelen' en 'onrendabelen': mensen met een hoge arbeidsproductiviteit, intelligentie en keuzecapaciteit staan tegenover mensen met een lage arbeidsproductiviteit die niet mee kunnen komen in de ratrace om status en geld. Het is de schaduwkant van het meritocratische ideaal dat de verdeling baseert op verdienste en talent, en dat alle nadruk legt op prestaties die in geld en productiecijfers kunnen worden uitgedrukt.

GroenLinks heeft zich de afgelopen jaren waar het gaat om werk en inkomen nogal ambivalent opgesteld. Hoewel een ontspannen, ongedeelde en solidaire samenleving, met de mogelijkheid om arbeid en zorg te kunnen combineren en outsiders in te sluiten, als ideaal werd geformuleerd, is ook binnen GroenLinks de nadruk steeds meer komen te liggen op het belang van betaalde arbeid. In het verkiezingsprogramma *Klaar voor de Toekomst* (2010) is het voorstel voor een Wet Investeren in Mensen opgenomen, die een zware participatieplicht oplegt aan iedereen en zelfs stelt dat 'tegenover geld van de gemeenschap een plicht tot participatie staat'. Geen inkomen zonder verplichting tot betaald werk voor iedereen die daartoe in staat is. Feitelijk wordt alleen voor mantelzorgers en voor scholing een uitzondering gemaakt – hoewel ook mantelzorgers zich bij voorkeur uit een persoonsgebonden budget zouden moeten laten betalen. Ook de AOW werd tot voor kort in de voorstellen van GroenLinks volledig afhankelijk gesteld van het aantal gewerkte jaren. Dus geen vanzelfsprekend pensioen meer na je vijf- of zevenenzestigste. Dat zou rechtvaardig zijn, omdat mensen die niet werken geen premie betalen en dus geen aanspraak mogen maken op een voorziening.

GroenLinks liep de afgelopen jaren voorop bij het benadrukken van het belang van werk en participatie in reguliere banen. Deze keuze voor activering wordt gepresenteerd als uitvloeisel van het manifest *Vrijheid eerlijk delen* (2005) en de vrijzinnige koers van Femke Halsema, maar is deels daarmee in strijd. De ambivalentie schuilt in het pleidooi voor verplicht activeren tegenover het belang van vrijheid. *Vrijheid eerlijk delen* sprak over 'baas in eigen leven' en stelde dat het de taak van links was om 'zo veel mogelijk vrijheid voor zo veel mogelijk mensen te organiseren'. Maar voormalig Kamerlid Kees Vendrik stelt met hetzelfde manifest in de hand dat het niet goed is om mensen het recht te geven 'geen deel uit te maken van de samenleving'. Die deelname maakt ons immers tot betere mensen. Meedoen is goed voor je, je onttrekken aan de samenleving is slecht, en een betaalde baan is het hoogste goed. Het uitgangspunt is een zo groot mogelijke keuzevrijheid, maar participatie móét.

Laat het duidelijk zijn: ook voor ons staat werk voorop. Zozeer zelfs dat we het iedereen gunnen. Maar we stellen vast dat de fixatie op werk op gespannen voet staat met een ontspannen samenleving. Werk gun je iedereen. Het laten stijgen van de arbeidsparticipatie is uit emancipatoir oogpunt noodzaak, naast de evidente voordelen die het voor individuen en de samenleving biedt. Maar waar? Hoe? En onder welke condities? Dát is de vraag.

Het wel of niet deelnemen aan het arbeidsproces is een teken des onderscheids geworden. Werken is in toenemende mate een toegangsbewijs tot meedoen. Niet werken is het voorportaal van uitsluiting, armoede en sociaal isolement. De ontwikkeling van de koopkracht hangt hier sterk mee samen. Enkele cijfers die Marcel van Dam in zijn boek *De onrendabelen* (2009) gebruikt, zijn sterk bekritiseerd, maar niet weerlegd. Hij stelt dat in 1980 vier procent van de huishoudens onder de armoedegrens leefde. In 2009 was dat toegenomen tot elf procent. Daarnaast is de ontwikkeling van de koopkracht van mensen met een uitkering sterk achtergebleven bij die van mensen met een inkomen uit arbeid. Het sociaal minimum (de bijstand) is de afgelopen 27 jaar per saldo met vier procent gedaald. Werkenden zijn er in een kwart eeuw elf procent op vooruitgegaan. De tweedeling tussen zij die werken en zij die dat niet doen, neemt toe. Het hebben van werk en het genereren van inkomen bepaalt in toenemende mate je positie in de samenleving en de mate van perspectief.

De maatregelen die zijn genomen om mensen met een zwakke arbeidsmarktpositie aan het werk te krijgen, hebben weinig opgeleverd, maar leiden op zichzelf ook tot uitsluiting vanwege de negatieve financiële prikkels. Zo is de termijn van werken met behoud van uitkering steeds verder opgerekt. Meer mensen worden verplicht te werken onder het minimumloon om arbeid voor werkgevers goedkoper te maken. Dit heeft niet alleen gevolgen voor hun inkomenspositie en bestaanszekerheid, maar uitsluiting en behandeling als tweederangs werknemers heeft ook psychosociale gevolgen.

Het huidige stelsel leidt dus onwillekeurig tot een tweedeling waarbij wordt gekozen voor degenen die arbeidsproductief en competitief zijn en waarbij degenen die dat niet zijn letterlijk werkeloos moeten toekijken.

Onze opvatting is dat de huidige inrichting van de sociale zekerheid en de arbeidsmarkt te gefixeerd zijn op het hebben of krijgen van rendabel werk. Het draagt niet bij aan de ontspannen, ongedeelde en solidaire maatschappij die ons voor ogen staat. Ook langdurig werklozen, arbeidsgehandicapten en mensen met een lagere arbeidsproductiviteit moeten meedoen aan de statuscompetitie waarbij productiviteit de inzet is. Nog afgezien van de vraag of zij dat kunnen, laat de praktijk zien dat zij de kans daartoe op de arbeidsmarkt nauwelijks krijgen. De toegang tot werk is allesbehalve eerlijk verdeeld. Het zou bijzonder cynisch zijn te stellen dat dit louter wordt veroorzaakt door luiheid en onwil. Zijn dan alle mensen in de bijstand aartslui? Onderzoek van het Sociaal Cultureel Planbureau (SCP) laat zien dat ondanks een daling van het ziekteverzuim en de instroom in arbeidsongeschiktheidsregelingen de arbeidsparticipatie van arbeidsgehandicapten in de periode 2002-2005 gedaald is van 44 naar 40 procent. Nog geen drie procent van de bedrijven in Nederland heeft een Wajonger in dienst. De uitstroom uit de bijstand is nog altijd onvoldoende (bijvoorbeeld negen procent in 2010), en is bovendien sterk afhankelijk van de inzet van de gemeente waar de bijstandsgerechtigde woont, volgens onderzoek van het Centraal Planbureau (CPB).

Vooral de bijstand toont het falen van de sociale zekerheid. De regeling biedt onvoldoende bestaanszekerheid en werkt nauwelijks activerend. Bovendien ligt de bijstand constant onder vuur. Het moet strenger en zelfs de grens van het minimumloon wordt losgelaten. Het wenkend perspectief van de participatiestaat krijgt met de bijstand totaal geen vorm. Te weinig mensen komen aan werk. De beperkte uitstroom van mensen uit de bijstand dwingt ons tot een herbezinning. En dan dringt zich de fundamentelere vraag op of we werk wel aan de markt kunnen overlaten.

Hoe zorgen we ervoor dat de sociale zekerheid bestaanszekerheid en activering waarmaakt? En beter: hoe zorgen we ervoor dat deze functies werken in een sociale, ontspannen maatschappij zoals GroenLinks die beoogt?

De crux van het probleem ligt bij de bijstand. De bijstand wordt nu gebruikt als allerlaatste vangnet waarvan het minimum steeds lager wordt, zodat mensen gedwongen worden om werk te zoeken. Maar in plaats van dat dit leidt tot werk, leidt het steeds vaker tot een 'gevangenis' waar mensen niet meer uitkomen. Vanuit een kwetsbare positie is het veel moeilijker om mee te doen in de ratrace en veel lastiger om op een zekere baan uit te komen. Daarom moet de bijstand worden aangepast: van vangnet naar springplank. En dat kan alleen door mensen een zekerdere positie te bieden.

Een ontspannen, ongedeelde en solidaire samenleving,

waar werk een middel is tot zelfontplooiing en identiteits-
vorming, waar zowel renderende als niet-renderende vormen van arbeid worden gewaardeerd, en waar ruimte is
voor het combineren van arbeid met (mantel)zorg en scholing – het klinkt utopisch. Een even simpel als radicaal
middel daartoe is de introductie van een basisinkomen. Dat
houdt in dat iedereen op individuele basis een maandelijks
inkomen ontvangt van de staat, ongeacht andere bronnen
van inkomsten en zonder enige voorwaarde met betrekking tot opgebouwde rechten. Dit inkomen is genoeg om
in basisbehoeften te voorzien; vervolgens kan iedereen het
aanvullen met andere bronnen van inkomsten.

De discussie over het basisinkomen is inmiddels alweer
enkele decennia oud. In essentie is het de invulling van
een herverdelingsprincipe dat gebaseerd is op rechtvaardigheid. De huidige verdeling van inkomen, bezit en talen-
ten is immers oneerlijk. Het basisinkomen compenseert
die oneerlijke verdeling, maar doet nog iets meer: het geeft
mensen met minder capaciteiten of arbeidsproductiviteit
meer vrijheid en autonomie. De vrijheid wordt op die manier eerlijker verdeeld. Mensen hebben niet alleen het recht
om een gedeelte van hun leven naar eigen wens in te richten, maar krijgen ook de materiële mogelijkheden om dat
te doen. Daarnaast heeft iedereen recht op participatie, op
toegang tot betaalde en onbetaalde arbeid. Het feit dat het
basisinkomen onvoorwaardelijk wordt verstrekt, stelt
mensen met minder arbeidsproductiviteit in staat om kritischer te staan ten opzichte van 'slechte' banen. Het versterkt daarmee het recht op een eerlijke en goede baan die
loont, en vergroot de vrijheid van mensen aan de onderkant van de arbeidsmarkt.

Een ander argument voor het basisinkomen is dat het
leidt tot meer waardering voor onbetaald of onrendabel
werk. Ook biedt het de mogelijkheid om naast een regu-

liere baan vrijwilligerswerk en zorgtaken te verrichten. De sociale zekerheid maakt mensen op deze manier economisch zelfstandig en schept meer keuzemogelijkheden voor mensen aan de onderkant, maar garandeert tegelijkertijd ook recht op werk en inkomen. Bovendien versimpelt een basisinkomen het systeem van de sociale zekerheid. Het biedt burgers een basisuitkering waar allerlei extra uitkeringen bovenop kunnen (en moeten) worden geplaatst. Aanvullingen op het basisinkomen zijn nodig voor mensen boven de 65, langdurig werklozen en alleenstaande ouders of verzorgers in de vorm van uitkeringen in het kader van de bestaande Werkloosheidswet, Ziektewet en Pensioenwet. Daarnaast zou het mogelijk moeten zijn om boven op het basisinkomen belastingvrij bij te verdienen om de armoedeval te beperken en onderwijsmogelijkheden te verruimen.

De Wetenschappelijke Raad voor het Regeringsbeleid (WRR) pleitte al in 1985 voor de invoering van een onvoorwaardelijk basisinkomen als onderdeel van een nieuw stelsel van sociale zekerheid. De belangrijkste motivatie voor de WRR was de combinatie van enerzijds sociale zekerheid en solidariteit en anderzijds ruimte voor keuzevrijheid en persoonlijk initiatief. Ook GroenLinks pleitte in het begin van de jaren negentig voor de invoering van een basis- of voetinkomen. In het al genoemde manifest *Vrijheid eerlijk delen* staat een voorstel voor een gedeeltelijk basisinkomen voor werkenden en ondernemers. Dit plan komt voort uit de constatering dat laagbetaalde arbeid veel te duur is geworden. Hierdoor is voor werkgevers een flink deel van de lagergeschoolden niet productief genoeg om het eigen loon te verdienen. En dat terwijl er veel werk blijft liggen. Vanwege de hoge prijs voor laaggeschoold werk wordt die leemte niet opgevuld. Het gaat ten koste van de laaggeschoolde beroepsbevolking. Voor hen bestaan er te weinig kansen om mee te doen. Vanuit die gedachte moet arbeid fors goedkoper worden gemaakt, vooral aan de onderkant van de arbeidsmarkt. Flink lagere minimumloonkosten voor werkgevers versterken de vraag naar laagproductieve arbeid. Zo kan de gewenste markt voor persoonlijke dienstverlening worden versterkt en uitgebouwd. Dit biedt nu juist veel mogelijkheden voor lastig bemiddelbare mensen, bijvoorbeeld in de bijstand. Werkenden zouden in deze systematiek een gedeeltelijk basisinkomen via een forse inkomensafhankelijke arbeidskorting krijgen. Laaggeschoolden houden op die manier meer geld over van het loon. Het vinden van een kleine baan betekent dan al snel een forse inkomensstijging, wat juist voor uitstromers uit de bijstand interessant zou zijn. Het gedeeltelijke basisinkomen zou ook gelden voor kleine zelfstandigen en freelancers. De gedachte is dat een gedeeltelijk basisinkomen voor werkenden en ondernemers burgers stimuleert om voor zichzelf te zorgen, om mee te doen en om zich te ontwikkelen.

Het basisinkomen wordt vaak bestempeld als naïef en niet meer van deze tijd, maar varianten van dit idee steken telkens weer de kop op. Zo pleit Paul de Beer (bijzonder hoogleraar Arbeidsverhoudingen op de Henri Polak leerstoel aan de Universiteit van Amsterdam) voor een moderne invulling van dit begrip en introduceert hij een algemene basisverzekering 'die een minimumuitkering biedt in alle gevallen van onvrijwillige inkomensderving, ongeacht het dienstverband'. Deze verzekering zou moeten worden ingebouwd in de bestaande werknemersverzekeringen en biedt dus iedereen een basisinkomen in tijden dat het minder gaat. Alleen personen zonder arbeidsverleden zouden terugvallen op de bijstand. Dit is geen basisinkomen in de klassieke zin van het woord: het is immers niet beschikbaar voor mensen met een regulier inkomen en mensen zonder arbeidsverleden. Niettemin illustreert dit voorstel de voordelen ervan, het biedt een solide basis voor arbeidsmarktparticipatie in verschillende vormen: loondienst of flexwerk.

Wat ons betreft heeft het basisinkomen voor alle volwassen ingezetenen twee grote voordelen. Ten eerste bevrijdt het mensen van de knellende definitie van arbeid in economische termen. Werk heeft niet alleen een economisch-productieve waarde, maar vooral ook een maatschappelijke en individuele waarde. Door al het werk dat mensen doen te waarderen met een basisinkomen, veranderen we de *default*. Omdat het voor iedereen gemakkelijker wordt om arbeid, zorg, vrije tijd en scholing te combineren, haalt het de druk van de ketel van de prestatiemaatschappij. Talentvolle workaholics maken nu de dienst uit, omdat zij automatisch een voorsprong hebben die in een meritocratie alleen maar groter wordt. Een basisinkomen remt die voorsprong af en verkleint de verschillen tussen de winnaars en de verliezers van de meritocratie. Het geeft ademruimte voor de mensen die niet voorop (kunnen of willen) lopen in de mallemolen van de moderne tijd.

Ten tweede versterkt het basisinkomen de positie van mensen aan de onderkant van de arbeidsmarkt. De mensen die nu worden uitgesloten omdat ze te weinig arbeidsproductief zijn, worden voor een belangrijk deel gecompenseerd. En sterker, het wordt voor hen eenvoudiger om een (kleine) baan te vinden die ook nog eens meer oplevert. De toename van de vraag naar laaggeschoold werk maakt het voor mensen die nu in de bijstand zitten maar geen werk kunnen vinden waarschijnlijk makkelijker om een passende baan te bemachtigen. Met een basisinkomen hebben zij meer mogelijkheden om slecht betaalde *junk jobs* af te wijzen. De kwaliteit van de arbeid wordt daarmee automatisch verhoogd. En door laagbetaald werk veel goedkoper te maken zal de vraag naar eenvoudiger werk toenemen, waardoor de kansen van moeilijk bemiddelbare mensen verbeteren.

Het goedkoper maken van werk is natuurlijk geen garantie dat al die mensen die nu in de bijstand zitten of afhankelijk zijn van een arbeidsongeschiktheidsuitkering aan de slag gaan. De economische crisis vermindert het aantal banen fors en het basisinkomen kan dat effect niet compenseren. Arbeid moet dus niet alleen veel goedkoper worden, maar er is meer nodig. Ten eerste moeten we wellicht als samenleving accepteren dat er een groep mensen is die zo'n grote afstand tot de arbeidsmarkt heeft dat ze simpelweg nooit aan de bak zullen komen. Is het niet logischer voor deze mensen om een nuttige dagbesteding, anders dan een betaalde baan, te organiseren dan hen steeds naar werk te jagen waar zij ongeschikt voor zijn? Een voorwaarde moet dan wel zijn dat ze bij het vinden van die geschikte activiteit worden ondersteund. Het ligt voor de hand het basisinkomen voor deze groep aan te vullen. Naast het vinden van dagbesteding voor de zeer moeilijk bemiddelbaren zou ook het opzetten van beschut werk mogelijk moeten zijn. Beschutte banen kunnen worden ingezet als een opstap voor moeilijke groepen zoals laaggeschoolde jongeren en mensen met een zekere afstand tot de arbeidsmarkt. Ze gelden voor een beperkte periode, met het oog op intensieve begeleiding en doorstroom naar regulier werk. In tijden van crisis en hoge werkloosheid kan de looptijd worden verlengd.

Het basisinkomen gecombineerd met gedegen ondersteuning en eventueel beschut werk verbetert de kansen van mensen aan de onderkant van de arbeidsmarkt. In die zin leidt het basisinkomen tot een positieve herverdeling.

Het biedt meer zekerheid aan groepen die het nodig hebben, en tegelijkertijd meer vrijheid en autonomie, en het vergroot de kans op participatie in de vorm van een (al dan niet slecht) betaalde baan. De fixatie op werk als tegenprestatie voor de uitkering wordt enigszins afgezwakt, terwijl de prikkel om aan het werk te gaan wordt versterkt (inkomensstijging). Terwijl het de afgelopen jaren vaak eerst om het werk en dan om de zekerheid ging, wordt dit met het basisinkomen omgedraaid.

Een basisinkomen mag niet het eindpunt zijn, maar het begin. Werken blijft sterk te verkiezen boven inactiviteit. En het hebben van werk naast het basisinkomen moet dan ook nog steeds uitgangspunt zijn en gestimuleerd worden. De overheid moet daar normatief in blijven optreden. Enige notie van wederkerigheid is voor ons dan ook cruciaal. Dat vraagt vooral iets van het individu.

Uiteraard zijn wij ons bewust van de belangrijkste argumenten tegen het basisinkomen. Het zou leiden tot profiteurschap en *free-riding*: mensen zouden gaan surfen in plaats van werken. Het zou een gebrek aan wederkerigheid kennen: een cruciaal moreel fundament van de verzorgingsstaat. Degenen die het moeilijk hebben op de arbeidsmarkt, zouden permanent zonder werk komen te zitten met een te laag basisinkomen om van te kunnen leven. Maar als het basisinkomen samen met de hierboven beschreven middelen kan worden ingezet, met name het scheppen van werk aan de onderkant van de arbeidsmarkt, het verlagen van de kosten voor laagbetaald werk en het verhogen van de opbrengst van werk, dan blijft werken nog steeds aantrekkelijk. Een dergelijk arbeidsmarktbeleid vergt niet per se financiële prikkels om mensen aan het werk te krijgen, en soms werken die prikkels juist averechts. Bovendien biedt het basisinkomen wat ons betreft geen enkele luxe – iets waar de meeste mensen in deze maatschappij toch behoefte aan hebben. Wij zijn ervan overtuigd dat een basisinkomen mensen die nu in de bijstand zitten meer zekerheid biedt en hen stimuleert om aan het werk te gaan, omdat er simpelweg meer werk aan de onderkant ontstaat en omdat werken rendabeler wordt. In de praktijk zullen er weinig mensen zijn die ervoor kiezen om zich af te zonderen van de samenleving door louter van het basisinkomen te leven. Sterker: wij zijn ervan overtuigd dat zo goed als iedereen graag deel van die samenleving uit wil maken. Een basisinkomen stelt een groep daartoe in staat die nu aan de kant staat.

Rutger Groot Wassink en Femke Roosma

Rutger Groot Wassink is historicus en was als beleidsadviseur werkzaam voor de FNV *Vakcentrale. Nu werkt hij voor de Tweede Kamerfractie van GroenLinks en is deelraadslid in Amsterdam-West.*

Femke Roosma is promovenda Sociologie aan de Universiteit van Tilburg. Zij schrijft haar proefschrift over de legitimiteit van de verzorgingsstaat in Europees vergelijkend perspectief. Daarnaast is zij sinds 2010 (duo)gemeenteraadslid in Amsterdam.

WW

Wiardi Beckmann Stichting (PvdA)
Mr. Hans van Mierlo Stichting (D66)

Een collectief scholingsfonds
naast de WW

In heel Europa bezuinigen regeringen; de dure reddings-
operaties voor banken en voor landen binnen de eurozone,
stijgende sociale uitgaven en lagere inkomsten uit sociale
premies hebben de staatskassen drooggelegd.[1] Bezuinigd
wordt er vooral op de sociale voorzieningen, waarvan de
kosten in de meeste EU-landen tussen zestien en dertig
procent van de overheidsuitgaven beslaan. Ook de gezondheidszorg en het onderwijs moeten het ontgelden. De economische neergang die we nu doormaken, is daarmee een
stresstest van formaat voor de Europese verzorgingsstaten.
Een stresstest die bovendien boven op de ingeperkte be-
leidsautonomie van de lidstaten na de invoering van een
monetaire unie komt.

Zonder twijfel zal op een gegeven moment de recessie
weer wijken. Maar hoe staan de Europese verzorgingsstaten er dan voor, en welke collectieve voorzieningen zullen
in Nederland nog over zijn? Zullen degenen die hun baan
kwijtraken nog een behoorlijk vangnet hebben als ze niet
meteen een nieuwe bron van inkomsten vinden? Kunnen
zij die van een uitkering leven nog wel fatsoenlijk rondko-
men en tegelijk hun kinderen helpen een goede opleiding
te krijgen?

Ook als we na vier jaar strijd in het kabinet-Rutte-Asscher zouden kunnen constateren dat dit is gelukt, dat onze
oude verzorgingsstaat niet te veel door bezuinigingsdrift is

49

aangetast – en dat zou echt goed nieuws zijn –, dan nog moet onder ogen worden gezien dat hij gevaarlijk is uitgehold. Het zou op zijn best namelijk stilstand betekenen, terwijl onze verzorgingsstaat al aan het begin van de twintigste eeuw hard aan vernieuwing toe was. Ook zonder crisis zou hij moeten worden aangepast aan veranderingen in onze samenleving van de afgelopen decennia: gevarieerdere samenlevingsvormen, de massale komst van vrouwen op de arbeidsmarkt en het verdwijnen van de vaste baan voor het leven. Bovendien, ook zonder de internationale bankencrisis en zonder eurocrisis staat de verzorgingsstaat onder druk vanwege de stijgende levensverwachting, een babyboomgeneratie die massaal pensioneert en blijvend lage geboortecijfers.

In het debat over de 'nieuwe crisis' in de Europese verzorgingsstaten staan twee benaderingen tegenover elkaar: de *versoberingsagenda* en de *toerustingsagenda*. In de versoberingsbenadering wordt sociaal beleid gezien als een vraagstuk van collectieve kosten en herverdeling. Centraal staat een cocktail van begrotingsdiscipline, kostenbeheersing, eigen verantwoordelijkheid van burgers en het bevorderen van werkgelegenheidsgroei door alleen financiële prikkels. De beleidstheorie achter de versoberingsagenda – zoals onder anderen de liberalen die propageren – grijpt terug op de Amerikaanse econoom Arthur M. Okun, die in 1975 sprak over een *big trade-off* tussen economische efficiency en sociale rechtvaardigheid. Meer van het één is minder van het ander. Ingrijpende sociale versoberingen worden gezien als onvermijdelijk; grotere ongelijkheid wordt politiek geaccepteerd.

Het basisidee achter de *toerustingsagenda*, die wij voorstaan, is juist dat een sterke verzorgingsstaat, zeker bij een teruglopende beroepsbevolking, noodzakelijk is. Het níét bestrijden van armoede en inactiviteit, zeker als die van generatie op generatie worden overgedragen, leidt tot een enorme verspilling van menselijk kapitaal. Zónder ondersteuning van gezinnen zal de voor onze economie noodzakelijk hogere arbeidsdeelname van vrouwen niet gerealiseerd worden. Als we niet regelen dat mensen een leven lang kunnen blijven werken, zullen we de gevolgen van de vergrijzing nooit opvangen.

Onze open kenniseconomie, met sterk veranderende samenlevingsvormen en arbeidsmarktpatronen, in een wereld van steeds intensievere internationale concurrentie vergt andere – actievere – sociale zekerheden dan voorheen. De baan voor het leven bestaat niet meer.[2] En nieuwe sociale risico's – snel verouderde kennis en vaardigheden, onvoorspelbare en extreem flexibele arbeidsrelaties en beperkte mogelijkheden om arbeid en zorg te combineren – treffen vooral laagopgeleide werknemers, jongeren, werkende vrouwen en gezinnen met kleine kinderen. Deze risico's zijn nog onvoldoende afgedekt, met als gevolg dat er een steeds groter verschil ontstaat tussen degenen die aan die risico's blootstaan en degenen aan wie deze risico's voorbijgaan. Armoede en onzekerheid dreigen weer in belangrijke mate erfelijk te worden: naarmate hun achterstand toeneemt, nemen de mogelijkheden van kwetsbare gezinnen om in de toekomst van hun kinderen te investeren relatief gezien af, met een achterblijvende sociale en cognitieve ontwikkeling van hun kinderen en hogere schooluitval en problemen met het vinden van werk op latere leeftijd als gevolg.

Een overkoepelende doelstelling in de toerustingsagenda is om deze trend te keren en burgers en gezinnen te ondersteunen bij kwetsbare overgangen in de levensloop, zoals tussen onderwijs en de eerste baan, tussen werk en gezinsuitbreiding, tussen werkloosheid en scholing. Door de hele levensloop van mensen in ogenschouw te nemen is het mogelijk om de complexe zorgvraag van kinderen, ouderen en andere groepen te identificeren, en zo duurzame arbeidsdeelname en -productiviteit te bevorderen.

Een dergelijk sociaal beleid is een 'productieve factor' van formaat.[3] Maar een toerustingsagenda is natuurlijk niet goedkoop. Er gaan jaren overheen voordat dergelijke investeringen hun vruchten afwerpen. Het is echter een illusie om te menen dat een versoberingsagenda wel een koopje is. Toerusten vergt overigens wel veel meer dan alleen financieel investeren: het gaat ook om andere institutionele ontwerpen, van de inrichting van de ww en de manier waarop het onderwijs wordt vormgegeven tot en met ons pensioensysteem en de manier waarop de kinderopvang geregeld is.

De sociaaldemocratie streeft een samenleving na waarin iedereen met waardigheid en in vrijheid kan leven, en waarin ieders bestaanszekerheid is gewaarborgd. Werk speelt hierbij een essentiële rol. Werk blijkt voor burgers de beste garantie tegen sociale uitsluiting en armoede.[4] Wie werkt, verdient niet alleen geld om zelf zijn leven te kunnen inrichten – wie werkt, doet mee.

We zouden een stimulerend, goed doordacht en breed opgezet beleid moeten voeren dat erop gericht is dat iedereen die kan werken ook werkt: van jongeren die net van school komen tot ouderen die bijna met pensioen gaan, van mensen met slechtere sociale vaardigheden, mensen die niet zo hooggeschoold zijn, mensen met een handicap die 'anders' zijn of mensen die nieuw zijn in Nederland tot degenen die voor kinderen, ouderen of zieken zorgen of die zelf langdurig ziek zijn geweest. Ook zij horen mee te kunnen doen. Omdat we al deze mensen niet zouden moeten willen afschrijven, én omdat zonder hun inzet de verzorgingsstaat onbetaalbaar is.

De financiële houdbaarheid van onze verzorgingsstaat is namelijk afhankelijk van een hoge arbeidsdeelname. De belangrijkste drijfveer achter het macro-economische succes in Europa in de decennia voor de huidige crisis, lag in een stijgende arbeidsparticipatie. Deze was vooral toe te schrijven aan de spectaculaire groei in de arbeidsparticipatie van vrouwen. Het grootste reservoir van onderbenut arbeidsaanbod in de meeste Europese verzorgingsstaten wordt nog steeds gevormd door vrouwen, ook in Nederland (vanwege de hoge deeltijdcomponent), naast niet-westerse migranten en oudere werknemers.

Het succes van een toerustingsbeleid bij het vergroten van de arbeidsparticipatie zal dan ook afhangen van de mate waarin vrouwen (en mannen) in staat worden gesteld om de spanning op te heffen tussen het opbouwen van een loopbaan en de wens om een gezin te vormen. Voor werkende ouders met kleine kinderen is betaalbare en kwalitatief hoogstaande kinderopvang onmisbaar. Ook hebben zij behoefte aan flexibiliteit in arbeidsrelaties met verlofregelingen die niet nadelig uitpakken voor carrièrepaden, sociale zekerheid en pensioenen.

Een belangrijke hefboom van arbeidsparticipatie ligt daarnaast in de kwaliteit en wendbaarheid van werknemers, van menselijk kapitaal. Wanneer loopbanen (en levenslopen) in toenemende mate onvoorspelbaar worden – niet alleen vanwege de crisis – is het van belang dat werknemers makkelijk van baan kunnen switchen en bereid zijn zich permanent te laten bij- of omscholen voor sectoren waar zich personeelstekorten voordoen. Vrijwel overal in Europa ligt de arbeidsdeelname van hoger opgeleiden boven de tachtig procent, terwijl lager opgeleiden onder de veertig procent scoren. Het leervermogen van kinderen en jongeren moet alleen al daarom maximaal worden benut. Dat gaat verder dan alleen goed onderwijs – ook kwalitatief hoogstaande en breed toegankelijke voor-, tussen- en na-schoolse voorzieningen dragen daaraan bij.

Een krachtig anti-armoedebeleid blijft uiteraard ook geboden. Zelfs in verzorgingsstaten met de beste toe-rustingsinfrastructuur is volledige werkgelegenheid een utopie en blijft het noodzakelijk om onder sociale inves-teringen een strak vangnet te spannen dat minimumin-komensbescherming garandeert. Een bijstandsuitkering moet niet zo laag zijn dat er niet met goed fatsoen van te leven valt. En het kan niet zo zijn dat mensen die hun baan kwijtraken binnen de kortste tijd op het minimumniveau zitten en gedwongen worden huis en haard te verlaten.

Bij het schrijven van dit artikel is ons specifiek verzocht in te gaan op de regelingen rond de ww, de vangnetregeling voor mensen die hun baan kwijtraken. Lastig hierbij is dat het geïsoleerd bekijken van één zo'n regeling eigenlijk niet kan als je de oude manier van denken over de verzorgings-staat wilt doorbreken. De verzorgingsstaat van de eenen-twintigste eeuw zou veel meer moeten zijn dan een herver-delings- of verzekeringssysteem. De toegevoegde waarde ervan zit hem in de 'institutionele complementariteiten' tussen activerende dienstverlening en re-integratie, ar-beids- en verlofregulering, gezinsondersteuning, onder-wijs, scholing en de sociale verzekeringen. De ww als vangnet kan niet worden gemist, maar is hopeloos achter-haald als deze niet samengaat met een veel breder beleid van het voorkomen en herstellen van kennisachterstand, loopbaanontwikkeling en 'van werk naar werk'-begelei-ding.

In het licht hiervan overtuigt de sociale agenda van het kabinet-Rutte-Asscher niet. Er zijn kritische vragen te stel-len bij de gekozen combinatie van versobering en nivelle-ring, die allesbehalve een robuuste groeiagenda herbergt.

Beleidspunten zijn 'uitgeruild'; op de ww wordt sterk bezuinigd en de tegemoetkoming die ouders ontvangen voor de kosten voor kinderopvang wordt nog verder afgebouwd. Het eerste is bezwaarlijk omdat hierdoor veel meer mensen in deze tijd van economische recessie binnen korte tijd op bijstandsniveau zullen terugvallen. Het tweede staat haaks op een effectieve en efficiënte toerustingsagenda.

Hoe zou een sociale agenda er dan wel uit moeten zien? Hieronder werken we enkele punten uit met betrekking tot de ww. Zoals gezegd: dat is geen volledige agenda, uiteindelijk is een plan nodig waarin al onze verzorgingsstaatvoorzieningen betrokken worden. Ook het ontslagrecht,[5] de Ziektewet en de Participatiewet blijven hier goeddeels buiten beschouwing, net als de noodzaak van gericht beleid om de stijgende armoede onder werkenden tegen te gaan. Al deze zaken moeten uiteraard in hun samenhang bekeken worden.

Richt een collectief gefinancierd scholingsfonds op naast de ww. Bij het moderniseren van de ww moet er in de eerste plaats rekening mee worden gehouden dat kennis en vaardigheden op de huidige arbeidsmarkt veel sneller verouderen dan voorheen. Ook door deeltijdwerk en langdurig flexwerk ontstaan snel kennisachterstanden.[6] De realiteit is tegelijkertijd dat het veel normaler is om van baan te moeten wisselen dan vroeger.[7] Het is urgenter dan ooit te investeren in de kennis en vaardigheden van mensen, met name van degenen die zwak staan op de arbeidsmarkt. Niet alleen zijn scholing en trainingen nodig voor alle niveaus, ook werkervaringsplekken en gesubsidieerde banen kunnen mensen helpen (nieuwe) werkervaring op te doen en hen behoeden voor inactiviteit.

Het verdient aanbeveling parallel aan de ww een collectief gefinancierd scholingsfonds op te zetten.[8] Het geld uit het fonds zou niet alleen moeten worden aangewend voor werknemers die werkloos zijn geworden, maar ook voor degenen die nog een baan hebben, om werkloosheid voor te zijn. En het fonds zou uitdrukkelijk ook open moeten staan voor zelfstandigen zonder personeel (zzp'ers). Zij zullen dan uiteraard ook premies moeten betalen. Het is in het belang van iedereen dat ook de kennis en vaardigheden van zelfstandigen op niveau blijven.

Het transitiefonds bij onvrijwillig ontslag dat het huidige kabinet voorstelt, is in het licht van een toerustingsagenda onvoldoende. Zzp'ers en werknemers zonder jaarcontract of vast contract vallen buiten de regeling. Dat is een groot nadeel, net als het feit dat het geld voor scholing pas beschikbaar komt als het al te laat is, namelijk na het beëindigen van het dienstverband. Het beschikbare budget is bovendien te laag om echt een verschil te maken.

Als voorbeeld voor het scholingsfonds kan het Deense model dienen.[9] Dat is een verfijnd, collectief gefinancierd en voor iedereen toegankelijk publiek systeem van trainingen en opleidingen: voor jongeren en ouderen, hoog- en laagopgeleiden, werkenden en werklozen. Wat het Deense systeem vooral onderscheidt, is de sterke steun voor permanente training. Er is niet alleen aandacht voor beroepsopleidingen, maar ook voor meer flexibele en laagdrempelige trainingen. Jonge uitkeringsgerechtigden krijgen speciale aandacht; voor hen worden opleidingsplekken geregeld, zijn scholing en training beschikbaar, en zij kunnen hun startkwalificatie halen indien nodig.

Bij het inrichten van een publiek systeem voor brede

scholing zouden de vakbonden nadrukkelijk betrokken kunnen worden. Zij kunnen een belangrijke adviserende rol spelen, en kunnen verantwoordelijkheid krijgen bij het inrichten van opleidingen, het creëren van werkervaringsplekken en bij werk-naar-werkbegeleiding. De huidige opleidings- en ontwikkelingsfondsen in veel sectoren – zoals in de bouw – om werknemers om te scholen naar ander werk, zouden in het scholingsfonds geïntegreerd kunnen worden. Deze fondsen worden in elk geval nu nog veel te weinig gebruikt om werknemers te begeleiden naar ander werk buiten de branche waar de vraag naar arbeid toeneemt, zoals in de techniek en de zorg. Ook zou kunnen worden onderzocht of het mogelijk is het UWV een extra verantwoordelijkheid te geven in de bemiddeling van jongeren naar werk, bijvoorbeeld door het werkgeversrisico gedurende een overgangsperiode te delen met bedrijven.[10]

Beperk de maximale WW-duur pas als de crisis voorbij is. Veel boosheid is er over het kabinetsvoornemen de WW-duur per 1 juli 2014 te beperken tot maximaal 24 maanden (ten opzichte van de huidige 38 maanden). Een inkorting van de WW tot een maximumduur van 24 maanden is op zich echter te rechtvaardigen, omdat het nodig zal zijn middelen vrij te maken voor een gedegen toerustingsbeleid, en omdat het mensen stimuleert snel op zoek te gaan naar nieuw werk. En dat is weer noodzakelijk om te voorkomen dat hun kennis en vaardigheden verouderen.

Figuur 1: Minimale/maximale duur van werkloosheidsuitkeringen in Europa (2011)

maanden

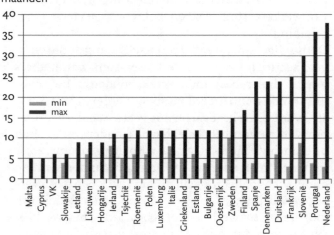

Bron: missoc.

Uit vergelijkingen met andere Europese landen blijkt overigens dat de maximum ww-duur in Nederland relatief gezien extreem lang is, en de minimum ww-duur kort (zie figuur 1). Nu moet het streven natuurlijk niet zijn onze Nederlandse werkloosheidsvoorziening dan maar omlaag te brengen tot het niveau van Malta en Cyprus (waar de maximumduur van een uitkering vijf maanden is), maar deze vergelijking plaatst de duur van de Nederlandse ww-uitkering wel in perspectief.

Een voorwaarde voor het terugbrengen van de maximum ww-duur tot 24 maanden is wel dat dit samengaat met de opbouw van een solide en toegankelijk scholingsfonds. Als de huidige crisis voorbij is, zal er ook voor 55-plussers genoeg werk zijn, mits er geld is voor adequate omscholing. Het gaat hierbij niet om dure opleidingen, maar wel te duur voor iemand met alleen een kortlopende ww-uitkering. Als het scholingsfonds eenmaal is ingesteld, en vruchten afwerpt in de zin dat ook de groepen die nu moeilijker (weer) aan het werk komen daadwerkelijk sneller een baan vinden (ouderen!), kan overwogen worden de ww-duur verder terug te brengen, bijvoorbeeld tot 18 maanden. Om het vangnet voldoende sterk te laten zijn moet in geval van een nieuwe recessie en oplopende werkloosheid in de toekomst wel de mogelijkheid opengelaten worden de duur van de ww-regeling tijdelijk weer te verlengen. Een regeling die mee-ademt met onze economie zou dus het beste zijn.

Een waarschuwing voor het al te kordaat doorvoeren van hervormingen is hier dan ook op zijn plaats: het is niet verstandig de verkorting van de ww-uitkering tot 24 maanden door te voeren in een tijd dat de werkloosheid sterk oploopt of een hoogtepunt bereikt, zelfs als daar een stevig scholingsfonds tegenover zou staan. Een van de belangrijkste functies van de verzorgingsstaat is het beschermen van burgers en gezinnen tegen economische onzekerheid in tijden van macro-economische terugval. Sociale verzekeringen zijn belangrijke kanalen waarmee de verzorgingsstaat economische schokken opvangt.

In deze tijd van economische recessie moet er geen procyclisch beleid worden doorgevoerd, waarbij de werking van automatische stabilisatoren wordt ondergraven. De eerste reactie op de crisis – invoering van deeltijd-ww – in 2008 was vanuit macro-economisch perspectief daarom ook zo verstandig. Bij de tijdelijke terugval in productie konden bedrijven de personeelskosten halveren door werknemers gedeeltelijk in de WW onder te brengen, zonder dat hun menselijk kapitaal schade opliep. Dat zou weer overwogen kunnen worden, net als arbeidstijdverkorting of het (tijdelijk) creëren van banen vanuit de overheid.[11] Abnormale omstandigheden vereisen een abnormaal beleid.

Bezuinig niet op de opbouw van WW-recht. Het kabinet stelt voor om, ook per juli 2014, werknemers veel minder snel WW-rechten te laten opbouwen (één maand per gewerkt jaar en na tien jaar een halve maand per gewerkt jaar). De WW-duur wordt hierdoor op verkapte wijze onverantwoord ingekort, vooral voor bepaalde groepen werkenden zoals herintreders en voormalig zzp'ers. Dat is niet wenselijk. Het zou, andersom, juist meer voor de hand liggen de opbouw van WW-(en scholings)rechten in het begin hoger te laten zijn dan aan het eind van iemands loopbaan bij een bedrijf. Hierdoor worden kortlopende dienstverbanden voor werkgevers duurder (en langlopende relatief goedkoper), terwijl werknemers met een onregelmatig arbeidspatroon beter beschermd worden dan nu het geval is.

Laat de hoogte van de uitkering intact. Het kabinet stelt samen met de inkorting van de WW-duur voor om ook de hoogte van de WW-uitkering drastisch naar beneden bij te stellen (in het tweede jaar tot zeventig procent van het wettelijk minimumloon). Dat betekent voor grote groepen een radicale versobering van de uitkering ten opzichte van de huidige WW-regeling. Zo'n regeling is niet meer te typeren als een gedegen vangnet en is niet te verantwoorden. Uit onderzoek blijkt juist dat de meest effectieve manier om de arbeidsdeelname te optimaliseren loopt via hoge maar relatief kortlopende (anderhalf tot twee jaar) werkloosheidsuitkeringen, gekoppeld aan sterke activeringsverplichtingen ondersteund door proactieve re-integratie-inspanningen en scholing.[12]

Stel de ww open voor zzp'ers. Het is onhoudbaar dat de WW-regeling afgeschermd blijft voor zzp'ers. Een groot deel van de zelfstandigen zonder personeel heeft nauwelijks een financieel vangnet als het werk ophoudt of sterk terugloopt en particuliere inkomensverzekeringen zijn duur. Vooral de onderkant van de zzp-markt behoeft bescherming; nu verdient een aanzienlijk deel van de zelfstandigen gewoonweg te weinig om premies voor ziekte, pensioen en werkloosheid op te kunnen brengen, of om scholing te bekostigen. Er gaan daarom stemmen op zzp'ers (of een deel van de zzp'ers, bijvoorbeeld degenen zonder bv of nv) verplicht aan de WW-regeling deel te laten nemen. Maar er zijn ook andere mogelijkheden van bescherming van deze groep, zoals invoering van een minimumtarief voor zelfstandigen.[13]

Zorg dat ouderen ertoe doen. Voor 55-plussers die hun baan verliezen, gaat volgens de kabinetsplannen de inkomensvoorziening voor oudere werklozen gelden, zonder partner- of vermogenstoets en met sollicitatieplicht. Onder de huidige economische omstandigheden is deze maatregel verstandig. Maar voor de oudere werknemers van de toekomst zullen we het anders moeten regelen: we zullen ervoor moeten zorgen dat zij wel op latere leeftijd van baan kunnen wis-selen én dat ze langer doorwerken dan de huidige lich-ting oudere werknemers. Nu wordt nog nauwelijks geïnvesteerd in werknemers boven de veertig.[14] Lan-ger doorwerken kan daarnaast ook worden onder-steund met bijvoorbeeld de invoering van flexibele pensionering, zoals in Finland.

Zet ook werkgevers in bij baan-naar-baanbegeleiding. Werkgevers zouden ook veel meer dan nu het geval is gestimuleerd kunnen worden om mee te werken aan baan-naar-baanbegeleiding. Zij beschikken vaak over een breed netwerk, en kunnen hun personeel actief helpen bij het vinden van ander werk. Ook zou het voor werkgevers aantrekkelijker gemaakt kunnen worden om werknemers tijdelijk uit te lenen aan an-dere bedrijven, bijvoorbeeld met een terugkeergaran-tie binnen een bepaalde periode. Op deze manier kunnen werknemers nieuwe werkervaring opdoen, en profiteren bedrijven van kennis van buiten.

Het mag onverstandig lijken om een stevige herschikking van de WW door te voeren onder de huidige economische omstandigheden; het is geen excuus om het langetermijn-perspectief uit het oog te verliezen. Hervorming van de verzorgingsstaatarrangementen, en daaronder ook het an-ders inrichten van de WW, is onvermijdelijk als we een sa-menleving willen waarin iedereen meetelt, en waarin er geen grote kloof gaapt tussen welvarende tweeverdieners aan de ene kant en laagopgeleide gezinnen, eenoudergezin-nen en jongeren aan de andere kant. Maar heeft Nederland wel de beleidsruimte om een eigen politiek op dit terrein te voeren gezien de strakke financieel-economische kaders van de Europese Monetaire Unie?

Het arbeidsmarktbeleid is een van de weinig overgebleven velden waar nationaal beleid van doorslaggevende betekenis is, stelde de Wetenschappelijke Raad voor het Regeringsbeleid (WRR) in het rapport *Investeren in werkzekerheid* uit 2007.[15] Dit is een fata morgana gebleken. Met de komst van de euro, en de daaraan gekoppelde begrotingsregels, is de nationale beleidsruimte ook op het terrein van sociaal en werkgelegenheidsbeleid sterk ingeperkt. Als Nederland wil voldoen aan de Europese regels en dus tientallen miljarden moet bezuinigen, blijft er weinig ruimte over voor sociale investeringen. Op dit moment verkeren we in een patstelling: de Europese begrotingsregels willen we niet negeren, maar we willen ook niet de verzorgingsstaat, die wederom zo belangrijk is gebleken in tijden van financiële crisis, kapot bezuinigen.

Er zijn twee manieren om deze situatie in de toekomst te voorkomen. Ten eerste moet Nederland zelf buffers aanleggen in tijden van economische voorspoed. Dat laat ook bij tegenspoed beleidsruimte om te investeren. De meeste lidstaten van de EU hebben in de economisch voorspoedige periode van 1995 tot 2005 een te procyclisch beleid van lastenverlichting gevoerd. Eigenlijk zijn alleen de Scandinavische landen in staat geweest om in de goede jaren fiscale buffers op te bouwen en de staatsschuld te verlagen. Ten tweede: op Europees niveau moet afscheid worden genomen van de versoberingsreflex en er moet ruimte worden gemaakt voor sociale investeringen. In het afgelopen decennium hebben de Europese instellingen, onder de neoklassieke leerstelling van efficiënte markten en ineffectieve overheden, de nationale economieën eenzijdig de maat genomen wat betreft groei, inflatie en begrotingsevenwicht. Feitelijk gaat de EU uit van een te smal economisch beleidsrepertoire van marktordening en fiscale soberheid – de agenda van de liberalen.

Er is schreeuwend behoefte aan een Europees sociaal investeringspact, niet ter vervanging van maar als aanvulling op het fiscale pact.[16] Zolang reële sociale investeringen budgettair terzijde worden geschoven, vormt de EU-begrotingsdiscipline een belemmering voor een economisch, sociaal en politiek verantwoord groeibeleid in de nasleep van de crisis, ook voor Nederland. Als er niet linksom of rechtsom geld wordt vrijgemaakt voor sociale investeringen, zal hervorming van de WW niet anders zijn dan een platte bezuiniging, waarmee de verzorgingsstaat verder wordt uitgehold.

Anton Hemerijck en Annemarieke Nierop

Anton Hemerijck is decaan en hoogleraar Institutionele beleidsanalyse aan de Faculteit Sociale Wetenschappen van de Vrije Universiteit Amsterdam.

Annemarieke Nierop is medewerker van de Wiardi Beckman Stichting.

Van verzorgingsstaat naar ontplooiingsmaatschappij

Al ruim dertig jaar maken we ons in Nederland zorgen over de houdbaarheid van onze verzorgingsstaat. In januari 1984 werd voor het eerst hard in het stelsel ingegrepen door een verlaging van alle sociale uitkeringen en ambtenaren-salarissen met drie procent. Sindsdien proberen kabinetten van verschillende politieke kleur de uitgaven te beperken, niet altijd met evenveel succes overigens. Bijna de helft van de uitgaven van de overheid gaat op aan sociale zekerheid; per persoon komt dat volgens het Centraal Bureau voor de Statistiek neer op ruim 11.000 euro, waarmee we in de Europese top drie staan, onder Denemarken en Luxemburg. Vooral de uitgaven aan de zorg stijgen de laatste jaren sterk, mede onder invloed van de vergrijzing. Met een toene-mende werkloosheid, een krimpende beroepsbevolking en het naderende pensioen van de babyboomgeneratie neemt de druk op sociale regelingen alleen maar toe.

De toekomstbestendigheid van onze verzorgingsstaat staat ook al jaren op de politieke agenda van D66. Veel van de D66-voorstellen – onder andere aanpassing van het ont-slagrecht, versobering van de WW, terug naar de kern met de AWBZ – zijn niet makkelijk, maar de pijn zou in de voor-gaande economisch goede tijden te verzachten zijn ge-weest. Nu staat de VVD-PvdA-regering met de rug tegen de muur en noopt (de nasleep van) de huidige financiële en economische crisis tot ingrijpen. Dat komt nu des te harder aan bij grote groepen mensen. Hoewel de economische houdbaarheid van onze sociale zekerheid een belangrijk vraagstuk is, ligt er wat D66 betreft een veel fundamentelere vraag aan ten grondslag: past de twintigste-eeuwse verzorgingsstaat nog wel bij de samenleving van de eenentwintigste eeuw? De samenleving is veranderd, en verandert continu; wij richten ons leven anders in en hebben andere behoeften en wensen. Veel meer mensen dan vroeger werken, vooral vrouwen; veel vaker werken we in deeltijd en in korte, flexibele dienstverbanden in met name de dienstensector. De diversiteit aan arbeidsvormen en aan samenstellingen van huishoudens is sterk toegenomen – denk met name aan de stijging van het aantal zzp'ers en eenpersoonshuishoudens. Werk, privé en zorg lopen steeds meer door elkaar. We kunnen en willen zelf ons werk en leven inrichten, persoonlijke ontwikkeling is steeds meer centraal komen te staan, we zijn nog niet allemaal 'op' en 'klaar' op ons vijfenzestigste en ga zo maar door. Maar hoewel we al jaren geleden zijn afgestapt van het twintigste-eeuwse kostwinnersmodel, is de Nederlandse verzorgingsstaat niet fundamenteel veranderd. In het kort: de verzorging vanuit het collectieve systeem staat centraal, en niet het individu en individuele inspanning/ontplooiing. Dat systeem voldoet niet meer vanuit sociaalliberaal perspectief. We moeten van een verzorgingsstaat naar een ontplooiingsmaatschappij, met meer ruimte voor, en zeggenschap van, het individu.

In Nederland is het gebruikelijk om het begrip 'verzorgingsstaat' te gebruiken als verwijzing naar het systeem van sociale regelingen dat de burger beschermt tegen bijvoorbeeld ziekte, werkloosheid, arbeidsongeschiktheid en de oude dag. Deze term impliceert dat de staat de primair 'zorgende' verantwoordelijke is. Een op Europees niveau gebruikelijkere en neutralere term als het gaat om de verantwoordelijkheidsverdeling is 'welvaartsstaat' (in het Engels *welfare state*): een systeem waarbij bepaalde (sociale) grondrechten van de burger met het oog op zijn materiële en immateriële ontplooiing gewaarborgd worden. Hoe dit precies gebeurt, verschilt sterk per land. Nederland wordt vaak genoemd in het rijtje van Scandinavische landen als een relatief uitgebreide en genereuze welvaartsstaat.

De Nederlandse welvaartsstaat is een grote verworvenheid van de negentiende en met name twintigste eeuw. Dat wij in staat en bereid zijn om voor anderen te zorgen als zij tijdelijk of permanent niet voor zichzelf kunnen zorgen, is een teken van beschaving. Bovendien heeft de welvaartsstaat ons ook economische voorspoed opgeleverd. Landen met een relatief 'grote' publieke sector presteren over het algemeen beter, of in elk geval niet slechter, dan landen met een 'kleinere' publieke sector. Naast de rechtstreekse bijdrage aan het bruto binnenlands product van de (semi) publieke sector mag de indirecte bijdrage aan het economische wel en wee niet worden onderschat. Efficiënte rijksdiensten en regelgeving voorzien het economisch verkeer van smeerolie, universiteiten leveren hoogwaardig menselijk kapitaal af, ziekenhuizen zorgen – letterlijk – voor gezond personeel, enzovoort.[1]

De Nederlandse welvaartsstaat is – in tegenstelling tot wat vaak wordt gedacht – ook een grote *liberale* verworvenheid. Immers, de opbouw van de welvaartsstaat wordt sterk gekenmerkt door initiatieven van liberale politici van weleer. Neem bijvoorbeeld het Kinderwetje van Van Houten uit 1874, of de Ongevallenwet uit 1901 van Cornelis Lely van de Liberale Unie. Eind negentiende en begin twintigste eeuw werden de eerste sociale regelingen in het leven geroepen ter bescherming van (groepen van) individuen tegen de uitwassen en beperkingen van de economische en sociale verbanden van die tijd. De welvaartsstaat gaf het individu de vrijheid om zijn of haar leven (meer) naar eigen inzicht in te richten, zonder afhankelijk te zijn van bijvoorbeeld familie of kerk voor zorg en inkomen. Dit historische belang van liberale denkers en politici bij de opbouw van de welvaartsstaat laat zien dat het (sociaal)liberalisme geen antistaatsleer is. Centraal staat de vrijheid tot ontwikkeling van het individu, en als deze vrijheid in een bepaalde context het best kan worden geborgd door de staat, dan is een (daad)krachtige staat vanuit liberaal perspectief wenselijk.[2]

Na de Tweede Wereldoorlog werd de Nederlandse welvaartsstaat in rap tempo verder uitgebouwd met regelingen zoals de AOW, de WW en de AWBZ. Niet alleen kwamen er meer wetten, er vielen ook steeds meer mensen en risico's onder de regelingen, vaak tot op het punt dat ze hun oorspronkelijke doel voorbijschoten. Onze welvaartsstaat werd een verzorgingsstaat. Neem bijvoorbeeld de WAO, de inkomensregeling die stamt uit 1966 voor mensen die door ziekte of handicap niet meer in hun eigen onderhoud kunnen voorzien. Vooral eind jaren tachtig van de vorige eeuw steeg de hoeveelheid WAO'ers aanzienlijk, tot ruim 1 miljoen, vooral ook doordat oudere werknemers via de WAO 'afvloeiden' om ruimte te maken voor jongere werknemers. De opvatting dat de WAO zijn oorspronkelijke doel destijds voorbijschoot, en dus uiteindelijk ten koste ging van de mensen die de WAO echt nodig hadden, werd breed gedeeld en leidde in 2005 uiteindelijk tot de vervanging van de WAO door de WIA.

De combinatie van solidariteit voor de mensen die het echt nodig hebben (volledig en duurzaam arbeidsongeschikt) en meer eigen verantwoordelijkheid voor degenen die nog wel (gedeeltelijk) kunnen werken, past goed binnen het sociaalliberale perspectief op de welvaartsstaat. Veel van de aanpassingen van sociale regelingen vanaf de jaren negentig, zoeken deze balans. De Ziektewet werd geprivatiseerd, de VUT afgeschaft, de Wet werk en bijstand (Wwb) ingevoerd. Een regeling die deze omslag naar activering en meer eigen verantwoordelijkheid lijkt te hebben gemist, is de AWBZ, die onderwerp is van het huidige politieke debat. De AWBZ begon in 1968 als potje voor langdurige zorg en onverzekerbare risico's. Wat langdurige zorg is en voor wie dat bedoeld is, is echter een grijs gebied, en de niet door de vergrijzing te verklaren toename van de kosten van de AWBZ duidt erop dat steeds meer mensen voor steeds meer dingen van dit potje gebruikmaken. Dat zet de regeling onder druk, waardoor nu de mensen die echt afhankelijk zijn van de AWBZ in de problemen komen. Andere regelingen die nog onvoldoende zijn hervormd, zijn de WW en de Wajong.

Alhoewel deze omvorming van sociale regelingen noodzakelijk en wenselijk is, is hiermee de Nederlandse welvaartsstaat nog niet klaar voor de eenentwintigste eeuw. In het algemeen bestaat nog steeds het idee en de verwachting dat de overheid voor ons zorgt. Het idee dat we *recht* hebben op zorg, lijkt los te zijn gezongen van het besef dat dit recht ons niet van de plicht ontslaat om ook zelf inspanning te leveren. De vraag daargelaten of deze verwachting gewenst is – wij menen van niet – is de laatste jaren ook duidelijk geworden dat de overheid deze belofte helemaal niet kan waarmaken. De macht van de overheid om de samenleving te 'maken' is altijd een illusie geweest, maar de economische crisis van begin jaren tachtig van de vorige eeuw maakte een radicaal einde aan de maakbaarheidsdroom. De toenemende globalisering en europeanisering van internationale markten daarna hebben de mogelijkheden van de overheid om de samenleving via bureaucratische principes te 'regelen' nog verder beperkt. De welvaartsstaat van de eenentwintigste eeuw zou derhalve niet zozeer, en zeker niet alleen, geordend moeten worden door een staat met afdwingbare rechten en plichten. Maar ook het andere uiterste is geen aantrekkelijk perspectief: de markt voorziet niet automatisch in alle behoeften en biedt zeker niet zonder meer een garantie op gelijke kansen, een rechtvaardige verdeling en vrijheid voor het individu. De welvaartsstaat van de eenentwintigste eeuw omvat daarom ook ruimte voor de betrokkenheid en inspanning van mensen zelf, levert diversiteit en maatwerk, en is gericht op de ontplooiing van het individu. Dit is de stap van de verzorgingsstaat naar de ontplooiingsmaatschappij.

Het startpunt van het sociaalliberalisme is de vrijheid van het individu om zijn of haar leven naar eigen inzicht in te richten. Sociaalliberalen vertrouwen op de eigen kracht van mensen, zoals ook een van de zogeheten richtingwijzers van D66 stelt.[3] Dit betekent echter niet dat mensen mogen doen en laten wat ze willen en/of geheel op zichzelf zouden zijn aangewezen. Deze eigen kracht, het zelfregulerend vermogen van mensen om hun eigen leven in te richten, is er niet 'zomaar', maar is latent aanwezig en moet worden gevoed, gefaciliteerd en onderhouden. De toevoeging 'sociaal' bij sociaalliberalisme staat er niet voor niets in de Nederlandse politieke context[4] – alhoewel de invulling van deze term anders is dan vaak wordt verondersteld: wij zijn sociale wezens en vormen in vrijheid 'bondgenootschappen' met anderen. Sociaalliberalisme betekent dus vrij vertaald: vrijheid in verbondenheid. Hiermee dragen mensen een zekere mate van verantwoordelijkheid voor zichzelf, voor anderen, voor hun omgeving en voor 'het geheel'. Het is belangrijk om te constateren dat het omgekeerde – 'het geheel' dat verantwoordelijkheid draagt voor het individu – een fundamenteel ander vertrekpunt is; daarbij wordt immers van bovenaf bepaald en opgelegd wat 'goed en nodig' zou zijn voor het individu.

Dit beeld van een vrijwillig maar niet vrijblijvend bondgenootschap van vrije individuen is voor ons het uitgangspunt bij de inrichting van de welvaartsstaat: als ontplooiingsmaatschappij.[5] De materiële en immateriële ontplooiing van individuen kan ook vanuit de maatschappij – door mensen onderling/of samen – worden gestimuleerd en gefaciliteerd; het is niet per definitie een taak van de staat. Met het doel meer grip te krijgen op de afweging wanneer mensen zelf, de staat of juist de markt een taak op zich kan of moet nemen, heeft de Mr. Hans van Mierlo Stichting, het wetenschappelijk bureau van D66, in 2011 een essay gepubliceerd, dat een analytisch raamwerk schetst over zogeheten 'ordeningsvragen': wie ordent wat en volgens welke principes?[6] Uit deze analyse volgt onder meer dat vooral als de verbondenheid tussen en de betrokkenheid van mensen belangrijke variabelen zijn in deze ontplooiing – dan is 'de staat', of beter geformuleerd, een 'bureaucratische ordening', niet automatisch het meest geschikt. Neem als voorbeeld de zorg voor ouderen, in een verpleeghuis of thuis. Goede zorg is niet altijd een kwestie van in tien minuten het bed verschonen of op tijd steunkousen aantrekken. Goede zorg omvat hier aandacht van de professional voor de cliënt – en andersom: waardering voor verleende zorg, in onze termen verbondenheid en betrokkenheid. Geen van beide laat zich van bovenaf afdwingen of inkopen. De bureaucratie of markt schiet hier dus, buiten het stellen van de algemene kaders, tekort. Deze eigen kracht van mensen – van de professional, van de patiënt en gezamenlijk – wordt in de discussie over welvaart en welzijn vaak over het hoofd gezien. Dit terwijl mensen als directbetrokkenen en belanghebbenden zelf veel meer kunnen en willen doen dan een overheid of ondernemer voor hen kan bereiken.

Om de mogelijkheden en grenzen van deze eigen kracht van mensen (onderling) helder te krijgen, en om de rol van 'staat' en 'markt' bij sociale bescherming vanuit sociaalliberaal perspectief te bepalen, is het van belang om een onderscheid te maken tussen ordenings*principes* – de manier van ordenen – en ordenings*actoren* – wie er ordent.[7] In de publieke discussie over de verhouding tussen 'markt en staat' worden actoren en principes vaak op een hoop gegooid. De zinsnede 'sociale regelingen meer aan de markt overlaten' kan betekenen dat sociale bescherming geregeld zou moeten worden via marktprincipes – via vraag en aanbod, prijsprikkels – en/of dat private partijen een deel van de uitvoering van deze sociale bescherming op zich nemen. Dit hoeft echter niet samen te vallen; bureaucratische principes – ordening via afdwingbare rechten en plichten – kunnen bijvoorbeeld handelingen van private partijen ordenen.[8] Hetzelfde geldt voor 'zorg aan mensen onderling' overlaten; dit kan betekenen dat mensen het zelf onderling maar moeten inkopen of leveren, maar het kan ook betekenen dat de principes van 'mensen onderling' – ordening van interactie op basis van dialoog, wederkerigheid en vertrouwen – bepalend zijn, ook voor bijvoorbeeld de overheid of een bedrijf als actor.

De keuze voor zowel het ordeningsprincipe als de bijbehorende actor hangt af van de doelen die men met sociale bescherming nastreeft. De oudere zorgbehoevende uit het bovenstaande voorbeeld zou, vanuit sociaalliberaal perspectief, niet afhankelijk mogen zijn van familie of worden overgeleverd aan de willekeur van de professional. Een zekere mate van basisveiligheid is nodig voor persoonlijke vrijheid en ontwikkeling, zowel materieel – bijvoorbeeld inkomen – als immaterieel – bijvoorbeeld zorg. Vanuit een veilige positie durven mensen namelijk risico's te nemen. Als deze basisveiligheid in het geding is, ligt het het meest voor de hand om zorg 'bureaucratisch' te regelen, met afdwingbare rechten en plichten. De staat, of de bureaucratie, is het meest geschikt om deze rechtvaardigheid te borgen. Tenminste, onder bepaalde voorwaarden, zoals een goed functionerende, democratisch gelegitimeerde en betwistbare bureaucratie. Maar onder bepaalde omstandigheden kunnen ook private partijen of mensen zelf onder deze bureaucratische principes handelen.

Boven deze basisveiligheid is er veel meer ruimte dan nu vaak het geval is voor ordening via 'marktprincipes' en het principe van 'mensen onderling'. Te veel veiligheid kan namelijk ook belemmerend werken; mensen ontwikkelen hun eigen kracht als ze het gevoel hebben dat hun inspanning loont, dat wat ze doen effect heeft, voor zichzelf en/of voor anderen. Een sociaalliberale visie op de welvaartsstaat koppelt daarmee een zekere mate van 'basisveiligheid' aan 'betwistbaarheid' van posities.[9] En daar spelen marktprincipes een veel belangrijkere rol. Te veel betwistbaarheid en te veel veiligheid leiden echter op hun beurt weer tot een afnemende betrokkenheid van mensen zelf. In beide gevallen kunnen mensen het gevoel hebben dat ze nauwelijks regie en invloed hebben op de richting van hun eigen leven (te veel betwistbaarheid) of dat hun inspanning niet loont (te veel veiligheid). Met name het principe van 'mensen onderling' zou veel meer ruimte kunnen krijgen in onze welvaartsstaat.

Hoe werkt deze sociaalliberale balans tussen veiligheid en betwistbaarheid met betrokken individuen in de praktijk? Een sociaalliberaal perspectief op de noodzakelijke aanpassing van de Werkloosheidswet (ww) kan illustratief zijn.

De ww is een werknemersverzekering, oorspronkelijk uit 1949, en heeft tot doel om mensen tijdelijk tegen inkomensverlies door werkloosheid te beschermen. Het politieke debat over de hervorming van de WW kan worden samengevat als 'meer of ten minste dezelfde WW' (links) of 'dezelfde maar liever minder WW' (rechts). Het D66-standpunt over de WW is kortweg samen te vatten als 'hoger, maar korter': een hogere WW, maar voor een kortere periode. Hoe past dit binnen de bovenstaande sociaal-liberale visie op de ontplooiingsmaatschappij?[10]

Allereerst is een zekere mate van basisveiligheid cruciaal als het gaat om werkloosheid. Na dertig jaar werk bij Philips of twee jaar bij de gemeente Amsterdam zou een werknemer niet meteen een al te grote inkomensval mogen maken door (ongevraagde) werkloosheid. Je hebt tijd nodig om een andere baan te vinden en om, eventueel, je uitgaven aan te passen. Een hogere WW-uitkering past bij deze gedachte. Het feit dat de WW een werknemers*verzekering* is, is hierbij cruciaal: de WW is geen gunst uit algemene middelen, maar een recht op inkomen bij onvrijwillige werkloosheid.[11] Daarvoor hebben werknemers zich immers (collectief) verzekerd en netjes premie betaald.

De WW is echter géén structurele inkomensvoorziening. Te veel veiligheid – lees: een te lange uitkeringsduur – zorgt ervoor dat mensen te weinig geprikkeld worden om snel weer een andere baan te zoeken. Uit onderzoek blijkt dat het einde van de rechtmatige uitkeringsduur een belangrijke prikkel is voor het vinden van een nieuwe baan.[12] Een kortere uitkeringsduur lijkt daarmee een gewenste en effectieve stap. Bovendien toont ander onderzoek aan dat het eerste jaar na werkloosheid cruciaal is voor het vinden van een nieuwe baan: zestig procent van de werkzoekenden heeft na een jaar weer een baan.[13] Voor de meeste werknemers vervult de WW dus een belangrijke functie als tussenstap op de arbeidsmarkt. Het percentage dat die nieuwe baan vindt, neemt overigens wel snel af naarmate de werkzoekende ouder is en (vaak) langer recht heeft op een uitkering. Na het eerste jaar verliest de ww dus al snel zijn overbruggingsfunctie en krijgt vooral een inkomensbeschermings- of – nog erger – een vroegpensioenfunctie. Dit is niet de bedoeling van de ww en gaat uiteindelijk ten koste van de mensen voor wie de verzekering in het leven is geroepen.

De voorwaarden waaronder je recht hebt op deze 'hogere, maar kortere' ww zijn relatief gemakkelijk te objectiveren en daardoor goed – en zelfs noodzakelijkerwijs[14] – bureaucratisch te organiseren. Dit is echter veel minder, of nauwelijks, het geval als het gaat om de terugkeer van de werkzoekende naar de arbeidsmarkt: de diversiteit van wensen en capaciteiten en het maatwerk dat nodig is om (snel) een geschikte baan te vinden voor ieder individu passen slecht in een bureaucratisch geordende rechten- en plichtenomgeving. Daar wringt dan ook de schoen binnen het huidige systeem: een werkzoekende moet aan tal van eisen en regels voldoen – onder andere sollicitatieplicht, melding, passend werk – om voor een uitkering in aanmerking te komen. De rechten en plichten van de werkzoekende, maar ook de taken van de professional bij bijvoorbeeld het uwv, zijn bureaucratisch vastgelegd. Er is daardoor te weinig ruimte voor vooral creatieve inspanning en betrokkenheid van het individu, zowel voor de professional als voor de werkzoekende.

Voor de re-integratie van een werkzoekende op de arbeidsmarkt is het ordeningsprincipe 'mensen onderling' volgens ons dan ook veel geschikter: interactie op basis van dialoog, vertrouwen en wederkerigheid. Werkzoekende en professional zouden in onderling overleg tot een op maat gesneden re-integratietraject moeten kunnen komen. Dit betekent concreet dat mensen zelf meer regie krijgen over hun eigen re-integratie. Sociaalliberalen vertrouwen op de eigen kracht van mensen en menen dat werkzoekenden zelf ook vaak heel goed weten hoe ze hun werkende leven willen inrichten. Meer regie kan bijvoorbeeld door hun de instrumenten in handen te geven om hun inzetbaarheid te vergroten, met name op het gebied van scholing – denk bijvoorbeeld aan een soort individueel werkbudget.

En ze hoeven het niet alleen te doen. De begeleiding vanuit het UWV kan ook volgens het 'mensen onderling'-principe worden versterkt. De professional heeft immers de expertise in huis om maatwerk te leveren door te kijken naar de individuele wensen en capaciteiten van mensen. Vooral voor mensen met een verminderd zelfregulerend vermogen is deze ondersteuning cruciaal. De kwaliteit van deze ondersteuning is echter niet gemakkelijk te objectiveren en in specifieke rechten, plichten en cijfers te vatten. Niet het aantal geschreven sollicitatiebrieven of doorlopen cursussen telt, maar of naar het oordeel van de coach en in het licht van de gemaakte afspraken voldoende inspanning is geleverd. Dat is op het eerste gezicht misschien eng. Overgeleverd zijn aan de willekeur van de UWV-coach is geen aantrekkelijk perspectief. Voor een professional betekent meer autonomie ook de dure plicht en bereidheid om je te verantwoorden. De coaching moet dan dus wel goed worden ingebed in een systeem van *checks and balances*, waarin de ene coach de andere scherp houdt en de 'klanten' gemakkelijk toegang hebben tot een professionele second opinion.

Met name als het gaat om re-integratie moeten we niet vanuit wantrouwen alles bureaucratisch regelen met de illusie daarmee misbruik te kunnen voorkomen en onbedoeld elke intrinsieke motivatie en eigen regie te vernietigen. Uiteindelijk zien wij meer in organiseren vanuit het vertrouwen dat mensen zelf – zowel professionals als werkzoekenden – in het overgrote deel van de gevallen sneller en beter tot de gewenste resultaten komen.

Deze herschikking van de balans tussen veiligheid, betwistbaarheid en individuele betrokkenheid is de kern van ons sociaalliberale perspectief op de welvaartsstaat. De inrichting van de welvaartsstaat van de eenentwintigste eeuw begint bij de constatering dat niet de staat, maar de ontwikkelingen, mogelijkheden en behoeften van individuen in de huidige maatschappij centraal dienen te staan. Deze bottom-upbenadering vraagt om een andere sociale zekerheid, waarbij meer ruimte is voor (zeggenschap van) het individu. Dit is een nieuwe vorm van solidariteit: niet als recht of plicht, zoals in de verzorgingsstaat, niet afwezig, zoals in de puur individualistische marktsamenleving, maar gecultiveerd in relaties tussen mensen onderling.

Corina Hendriks

De auteur is wetenschappelijk medewerker van de Mr. Hans van Mierlo Stichting, het wetenschappelijk bureau van D66.

WIA, WAJONG, WSW

Mr. G. Groen van Prinstererstichting, wetenschappelijk
instituut van de ChristenUnie
Guido de Brès-Stichting, wetenschappelijk instituut
van de SGP

Sociale gerechtigheid
en sociale verantwoordelijkheid

De overheid functioneert steeds minder als leverancier van collectieve voorzieningen. Er wordt veel meer van de eigen en gezamenlijke verantwoordelijkheid van de samenleving gevraagd. Een actueel voorbeeld zien we in de zorg, waar de herwaardering van de eigen verantwoordelijkheid van kinderen, familie, mantelzorg en buurt voor de zorg van ouders/ouderen wordt gestimuleerd, omdat door de groei van het aantal ouderen de AWBZ-zorg onbetaalbaar wordt. Het opnieuw accentueren van de verantwoordelijkheden van burgers in hun sociale contexten is in lijn met de christelijk-sociale traditie waarin de ChristenUnie staat. Tegelijk blijft de overheid wel een wezenlijke eigen taak houden.

Al decennia ligt de verzorgingsstaat met zijn collectieve en van bovenaf gestuurde arrangementen onder vuur. Sinds het midden van de jaren tachtig van de vorige eeuw treedt de overheid terug op het gebied van de sociale zekerheid en is zij niet langer de leverancier van de collectieve voorzieningen waar de burger vanzelfsprekend recht op kan doen gelden. Toen de overheid inzag dat deze voorzieningen onbeheersbaar en onbetaalbaar dreigden te worden, heeft zij taken afgestoten, gesleuteld aan het niveau van voorzieningen, drempels opgeworpen en de verantwoordelijkheid van de burger en verbanden in de samenleving benadrukt. Deze afbouw van de verzorgingsstaat is

al enkele decennia aan de gang. Dr. Wouter Beekers, onder-
zoeker aan het Historisch Documentatiecentrum van de
Vrije Universiteit Amsterdam, wijst in zijn studie over de
volkshuisvesting ook op deze ontwikkeling van het door
de staat geregisseerde en gedomineerde socialezekerheidsstelsel met een sterk professionele en geïnstitutionaliseerde aanpak.[1] We zien deze ontwikkeling ook terug bij
instellingen als het UWV, waar de bijdrage van werkgevers
en werknemers op afstand is gekomen. Het doet er minder
toe of burgers daarin wel of niet actief waren.

De herdefiniëring van solidariteit door oud-premier
Balkenende in zijn voordracht voor de Bilderbergconferentie in 2005 markeert deze kanteling op een heldere wijze.[2]
Balkenende maakte duidelijk solidariteit niet te zien als een
eis die alleen aan overheidshandelen kan worden gesteld.
'Solidariteit wordt te vaak gezien als een begrip dat uitsluitend normeert wat de overheid moet doen.' Hij beschouwt
solidariteit als een algemene opdracht die geldt voor ons
allen bij het vormgeven van de samenleving. 'Ik zie solidariteit vooral ook als opdracht aan burgers en maatschappelijke organisaties.' Solidariteit is niet alleen een bewust-
zijn van saamhorigheid, maar vooral een maatschappelijke
opdracht voor eenieder en voor tal van verbanden in de
samenleving. Met deze nieuwe definiëring van het begrip
solidariteit is de verzorgingsstaat met zijn collectieve arrangementen definitief ten grave gedragen. Hoogleraar Re-
formatorische Wijsbegeerte en lid van de Eerste Kamer
voor de ChristenUnie Roel Kuiper bepleit een breder in-
gevulde solidariteit. Hij constateert: 'De verticale, staats-
gereguleerde solidariteit moet aangevuld of overgenomen
worden door horizontale solidariteit tussen burgers.' Voor
Kuiper betekent deze kanteling een afscheid van de vanzelfsprekendheden van de verzorgingsstaat en een oriëntatie op een ander maatschappijmodel, waarvan de contou-

ren nog verder moeten worden vormgegeven.[3] De mogelijkheden en de kracht van de burger en de samenleving zelf
zijn het uitgangspunt. Daarmee wordt een groter appèl op
de verantwoordelijkheid van de samenleving gedaan. Het
accent in de rol van de overheid ligt minder op die van leverancier en financier; de overheid is vooral regisseur en ka-
dersteller. Participatie is het kernwoord in de gekantelde
verzorgingsstaat.

Paul Schnabel, directeur van het Sociaal en Cultureel
Planbureau (scp), heeft een model gepresenteerd waarin
de rol van de overheid in vier R's wordt geduid: richting,
ruimte, resultaat en rekenschap.[4] 'Er is behoefte aan een
overheid die zich weer als drager van het primaat van de
maatschappelijke inrichting beschouwt en in zijn uitspra-
ken niet alleen normatief richting geeft, maar ook grenzen
stelt en deze effectief bewaakt.' Richting geven en ruimte
bieden gaan samen op; overheid en burgers dienen elkaar
meer te beschouwen als bondgenoten. Met die lijn kan de
ChristenUnie van harte meegaan. Het is wel zaak om te
zoeken naar een goede balans tussen de verantwoordelijkheid van de overheid en die van de burgers en hun verbanden. Bondgenootschap vraagt om die wederkerigheid.

Binnen de ChristenUnie en haar voorgangers heeft veel
debat plaatsgevonden over de aard en de taak van de overheid in relatie tot de verzorgingsstaat. Het is een pendule
die voortdurend heen en weer beweegt tussen de verticale,
collectieve verantwoordelijkheid van de overheid en de
meer horizontale, eigen verantwoordelijkheid van burgers
en hun verbanden, de organisaties die hen vertegenwoor-
digen. Aan dat debat is te zien dat de verzorgingsstaat door
de ChristenUnie nooit echt is omarmd. In de christelijk-
sociale traditie kan solidariteit niet worden gezien als een
eis die alleen betrekking heeft op het overheidshandelen.
Die solidariteit bestond in een vooral collectief vormgege-

ven systeem van financiële afdrachten en gemeenschappelijke regelingen op het gebied van de sociale zekerheid,
pensioenen en zorg. De overheid bood garanties voor sociale rechten, collectieve regelingen die voor iedereen gelijk
uitpakten. Bovendien ligt de verantwoordelijkheid voor en
de verdeling van de financiering van uitkeringen en voorzieningen te eenzijdig op het bord van de overheid. Het
stelsel kon zo tot een molensteen om de nek van de overheid worden. De kracht en de zelfredzaamheid van burgers
en het vermogen om zelf iets te organiseren zijn onderschat. Nog steeds zijn de effecten daarvan zichtbaar. Een
voorbeeld moge dit verduidelijken. Ouderen komen in
het kader van welzijnsvoorzieningen vanuit de Wet maatschappelijke ondersteuning (Wmo) in aanmerking voor
aanpassingen in douche en toilet, zoals handbeugels. Ze
liggen voor iedere burger voor een habbekrats in de schap-
pen van de doe-het-zelfzaken. Het kost een veelvoud als de
gemeente deze aanpassingen moet regelen. Er is dus voldoende reden om meer nadruk op de verantwoordelijkheid van de burger en de samenleving te leggen. Die beweging is volop aan de gang. Met die visie op de maatschappij
stemt de christelijk-sociale traditie in.

Voor de ChristenUnie zijn twee kernmotieven essentieel: sociale gerechtigheid en sociale verantwoordelijkheid.
Recht en zorg verhouden zich zo evenwichtiger tot elkaar
en er ontstaat een betere balans tussen verticale en horizontale verantwoordelijkheid. De eerder genoemde Roel
Kuiper omschrijft het als volgt: 'Naast een sterke nadruk op
het recht dat aan ieder lid van de samenleving toekomt, is er
het accent op dienstbaarheid, onderling hulpbetoon, verantwoordelijkheid in alledaagse sociale betrekkingen.'[5]

Het gedachtegoed van *soevereiniteit in eigen kring* is
voor de ChristenUnie een dragend beginsel voor de uitwerking van deze visie op de herinrichting van onze ver-

zorgingsmaatschappij. Nieuwe solidariteit vraagt om een houding van dienende gemeenschapsverantwoordelijkheid. Nogmaals Roel Kuiper: 'Dienende solidariteit behoudt en versterkt het gebinte van de samenleving. Dienende solidariteit begrenst de individualisering – die er ook mag zijn – en houdt de samenleving op elkaar betrokken.' Dienende solidariteit legt enerzijds dus meer nadruk op *participatie naar mogelijkheden*, maar vraagt anderzijds een moderne invulling van het thema *noaberschap* van de samenleving.[6] Noaberschap is een oude vorm van gemeenschapsdenken, waarbij burgers in een buurtschap of dorp elkaar met raad en daad bijstonden. Ze droegen samen zorg voor sociale voorzieningen. De terugtredende overheid doet de behoefte toenemen om deze vorm van ondersteuning op een moderne manier praktisch vorm te geven. Er is dringend behoefte aan voorbeelden en methodes om de lijn ter versterking van de participatiemaatschappij verder uit te werken. De afbouw van de verzorgingsstaat concentreert zich nog te veel op de financiële houdbaarheid, terwijl het nodig is de zichtbare verlegenheid om tot een nieuwe aansprekende maatschappijvisie te komen, te doorbreken. De ChristenUnie is voorstander van een maatschappijvisie die rekening houdt met de mogelijkheden van mensen. Die lijn gaat gepaard met de verantwoordelijkheid van de samenleving om mensen ook bij te staan op de weg van eigen initiatieven.

Daarbij dient te worden aangetekend dat deze lijn niet voor iedereen is weggelegd. Het blijft daarom de taak van de overheid om juist voor kwetsbare groepen zorg te dragen voor een rechtvaardige ordening, waarin hun positie niet in de knel komt vanwege het gebrek aan ondersteuning en zorg. Beschutte werkplekken zullen altijd nodig zijn voor mensen met een handicap die kansloos zijn op de gewone arbeidsmarkt.

De politicus en theoloog, Abraham Kuyper (1837-1920) benadrukte het 'draagt elkanders lasten'. Daarin liggen de prikkel en de drijfveer voor de samenleving om het 'gemeenschappelijk lijden' dat de één wel treft en de ander niet zo veel het kan, over te nemen. Daarom dient de overheid in een sociale rechtsstaat een 'schild voor de zwakken' te blijven. Zo heeft de ChristenUnie haar visie op participatie naar mogelijkheden vanuit de christelijk-sociale traditie ingebed in de kaders van de rechtsstaat, waarin de overheid wordt aangesproken als 'schild voor de zwakken'.

Voor de concrete praktijk houdt de geschetste lijn in dat de ChristenUnie samenlevingsgericht naast mensen wil staan: activerend en beschermend. De overheid stelt de kaders voor de sociale rechtsstaat, opdat er voor de zwakkeren een goed vangnet is en mensen met mogelijkheden worden gestimuleerd hun eigen kracht te benutten. In de termen van het 4R-model van Paul Schnabel geeft de overheid de richting aan en biedt burgers en samenleving ruimte voor nieuwe initiatieven. De twee andere R's gaan over resultaat en rekenschap. Deze hebben te maken met de normerende rol van de overheid. Daarbij gaat het bij resultaat niet slechts over de economische – vooral kwantitatieve – opbrengst, maar ook om de kwaliteit. Het is eigen aan een sociale rechtsstaat dat overheid en samenleving kaders en grenzen stellen en over het resultaat van de publieke inspanningen rekenschap afleggen.

Vanuit deze bredere visie beoordeelt de ChristenUnie voorstellen en ideeën op het terrein van de sociale zekerheid. De solidariteit op de arbeidsmarkt is sterk geïnstitutionaliseerd in de vorm van tal van sociale voorzieningen en regelingen. De inrichting van de sociale zekerheid was vooral gericht op het voorzien in een inkomen bij ziekte, arbeidsongeschiktheid, werkloosheid en ouderdom. Het doel van het stelsel was om het wegvallen van inkomen op te vangen en de risico's, waaraan iedereen blootstaat, met elkaar op een solidaire wijze te delen. Omdat het onbetaalbaar werd, is dat sociale stelsel aan zijn eigen succes ten ondergegaan. Werkgevers en werknemers maakten op een calculerende wijze gebruik van regelingen en voorzieningen waarop zij geen of onvoldoende recht hadden. Het hoge niveau van uitkeringen prikkelde ondernemingen en mensen om gebruik te maken van bijvoorbeeld de WAO. Dit calculerende gedrag heeft geleid tot een noodzakelijke heroriëntatie op de inrichting van de sociale zekerheid. Centraal daarin staan de mogelijkheden van mensen om naar vermogen in het eigen levensonderhoud te voorzien. Deze hervorming van de sociale zekerheid past in onze lijn van denken. In het WAO-tijdperk lag de nadruk op arbeidsongeschiktheid. In de WIA wordt aansluiting gezocht bij de mogelijkheden die mensen wél hebben. Op deze wijze wordt de activerende werking van het socialezekerheidsstelsel bevorderd. Het gaat om een vangnet voor degenen die niet kunnen en dient als een springplank om weer deel te nemen.

De effectiviteit van het sociale stelsel is nog steeds onvoldoende. De sterke bureaucratisering en de complexiteit blijven forse barrières. Burgers worden geconfronteerd met ontmoedigende opdrachten. De formele en demotiverende sollicitatieplicht voor werkzoekende uitkeringsgerechtigden is daarvan een illustratief voorbeeld. De barrières worden versterkt door de noodzaak het sociale stelsel te beschermen tegen misbruik. Bovendien blijft de samenleving last houden van de hardnekkige veronderstelling dat mensen met beperkingen eerder een risico dan een kans zijn voor werkgevers. Het woud van re-integratieactiviteiten maakt de complexiteit van de sociale zekerheid ook al niet minder.

In een notitie van de Tweede Kamerfractie van de ChristenUnie over de Wajong zien we deze visie ook uitgewerkt.[7] Mensen dienen niet beoordeeld te worden op hun beperking, maar op hun mogelijkheden. De zin van arbeid wordt in het christelijk-sociale denken niet versmald tot economische termen alleen. Deze notie verdient meer aandacht in een arbeidsbestel met de focus op concurrentie, productiviteit en prestatie. In deze vereconomiseerde visie op arbeid worden mensen die niet aan de productiviteitseisen kunnen voldoen gemakkelijk uitgesloten en doorverwezen naar uitkeringsorganen en/of additioneel werk. En zelfs tegen dat werk wordt veelvuldig ingebracht dat het niet concurrentievervalsend mag zijn en niet in plaats mag komen van reguliere arbeidsplaatsen. Werkgevers en werknemers houden er onvoldoende rekening mee dat in alle arbeidsorganisaties mensen samenwerken die elkaar aanvullen en elkaars beperkingen opheffen. In arbeidsorganisaties benutten we de sterke en zwakke punten van elkaar. Mensen met een beperking zijn mensen met mogelijkheden. We erkennen dat zij net als ieder ander een moreel recht hebben op arbeid. Van bedrijven en instellingen mag worden verlangd dat zij arbeidsplaatsen geven aan mensen met een handicap of beperking. Langs de lijn van begeleid werken kan de overheid de arbeidsdeelname van Wajongers stimuleren. Het 1000-jongerenplan in Overijssel,[8] dat op initiatief van de provincie samen met Jeugdzorg op een succesvolle manier wordt uitgerold, maakt duidelijk dat er bij bedrijven een grote bereidheid is kwetsbare jongeren op te nemen. Naast een arbeidsplaats krijgen deze jongeren ook een opleiding op de werkplek. Het grootste aandachtspunt van werkgevers blijkt niet de loonkostensubsidie te zijn, maar vooral het wegnemen van bureaucratische belemmeringen.

In de beleidsnotitie van de ChristenUnie worden twaalf

aanbevelingen geformuleerd om de integratie van de Wa-jongers op de arbeidsmarkt te versterken. De focus ligt op de continuïteit van bescherming en het bieden van perspectief op participatie. Een belangrijk speerpunt daarbij is de relatie tussen onderwijs en arbeidsmarkt. De cultuur in het onderwijs is gericht op zorg en minder op participatie. Voorgesteld wordt om de *jobcoach* al te introduceren als de jongere nog op school zit. Het recht om bij ontslag terug te vallen op de Wajong verdient verruiming. De overheid dient zelf een voorbeeldfunctie te vervullen in het aannemen van kwetsbare jongeren. Bovendien valt er nog veel te winnen op het punt van maatschappelijke acceptatie. Initiatieven als het genoemde Overijsselse 1000-jongeren-plan helpen op een geweldige wijze de beeldvorming bij werkgevers te verbeteren.

We wijzen op een aanvullend aspect. Werk moet lonen. Voor mensen die afhankelijk zijn van een bijstands- of Wa-jong-uitkering, is het vaak niet lonend om een aantal uren op de arbeidsmarkt actief te zijn. Het verdiende inkomen wordt geheel of gedeeltelijk verrekend met de verkregen uitkering, waardoor het verrichten van arbeid vrijwel niet tot een verbetering van de financiële positie leidt. Daarom pleiten we ervoor om aan de bestaande inkomensvoorziening een structurele bijverdienregeling te koppelen. Daarmee wordt bevorderd dat mensen die nu aan de zijlijn staan op een positieve manier worden geprikkeld om binding met de arbeidsmarkt te zoeken. Elk uur werk leidt tot een toename van het inkomen. De overheid kan op deze wijze activering van mensen aan de onderkant van het loongebouw bevorderen.

De inzet op een samenleving met meer eigen verantwoordelijkheid voor werk en inkomen komt ook duidelijk naar voren in de nieuwe Participatiewet. In deze wet worden de Wet sociale werkvoorziening, de Wet werk en bijstand en een deel van de Wajong samengevoegd in één regeling. De sociale voorzieningen worden gedecentraliseerd en samengebracht in een wet, waarbij gemeenten een grotere rol en meer ruimte krijgen. De ChristenUnie is voor het integreren van sociale regelingen, maar heeft voor mensen met een beperking meer aandacht en een bredere inzet gevraagd, waarbij ook de Wmo en de jeugdzorg een grotere rol krijgen.

De vraag blijft echter ook of een actieve inbreng van burgers in de wereld van professionals en verstatelijkte organisaties voldoende wordt onderkend. De inbreng van werkgevers en werknemers vraagt regionaal om nieuwe, meer integrale arrangementen, waarbij de ontwikkelingen op de arbeidsmarkt en sociale voorzieningen beter zijn gekoppeld. Cruciaal voor de omslag in denken over het socialezekerheidsstelsel is een goed functionerende arbeidsmarkt, waar solidariteit op een nieuwe manier vorm krijgt. De uitvoering kan effectiever verlopen als werkgever en werknemers regionale initiatieven ontwikkelen en de professionele uitvoeringsorganisaties op een andere wijze samenwerken. Gemeentelijke consulenten en re-integratiebemiddelaars verdienen meer ruimte om naar eigen inzicht te bepalen of een werkzoekende actief moet solliciteren en in welke mate. Een verhoging of verlaging van de uitkering kan dan individueel worden bepaald. Niet de landelijke voorschriften, maar de persoonlijke omstandigheden moeten het handelen bepalen. Zo kan er beter worden ingeschat met welke mogelijkheden rekening dient te worden gehouden. We wijzen in dit verband op het Maaslandmodel, dat op initiatief van oud-CNV-bestuurder Jaap Jongejan zowel in Rotterdam als in Hardenberg wordt uitgetest. Dat is een vorm van vernieuwend arbeidsmarktdenken, waar met inzet van werkloosheidsuitkeringen, ontslagvergoedingen en re-integratie-instrumenten gestreefd wordt mensen van werk naar werk te leiden. De ChristenUnie heeft dit model in haar verkiezingsprogramma opgenomen. Een ander voorbeeld zijn regionale samenwerkingsverbanden van werkgevers en werknemers die scholing en werkgelegenheid op een innovatieve manier bij elkaar brengen. Eén belangrijke belemmering vormen nog de geïnstitutionaliseerde scholingsfondsen die per cao worden geregeld. Daardoor is het niet goed mogelijk deze middelen ook gericht in te zetten voor een meer intersectorale benadering van de arbeidsmarkt. De huidige recessie maakt duidelijk dat de arbeidsparticipatie van ouderen op een nieuwe manier dient te worden gestimuleerd. Dat kan alleen als we erin slagen om op lokaal niveau werkgevers, werknemers en gemeenten een ruimer mandaat te geven en nieuwe arrangementen op de arbeidsmarkt te organiseren. Datzelfde geldt voor mensen met een arbeidsbeperking. Er is niet alleen een omslag in denken in de sociale zekerheid nodig, maar ook op de arbeidsmarkt.

Enigszins nostalgisch is het verhaal van een gehandicapte jongen in een plattelandsdorp. Er was geen discussie over zijn plaats in de samenleving. Hij hoorde erbij. We organiseerden zinvol werk. Er waren geen regels die zeiden dat het werk concurrentievervalsend was. Er was geen persoonsgebonden budget beschikbaar. We stonden voor een gezamenlijk bestaan. Dit voorbeeld valt in de moderne maatschappij niet zomaar terug te plaatsen, maar het zegt wel iets over het belang om solidariteit weer meer direct tussen burgers, werkgevers en werknemers vorm te geven. Het voorbeeld maakt ook de weggeorganiseerde verantwoordelijkheid van de samenleving zichtbaar. Werkgevers, werknemers en overheid behoren elkaar meer als verantwoordelijke partners op de arbeidsmarkt te zien. Dat vraagt in zekere zin om een meedansende overheid, die de eigen kracht en verantwoordelijkheid vooropzet. De ontschotting van de budgetten in de nieuwe Participatiewet biedt mogelijkheden om het beschutte werk binnen de Wet sociale werkvoorziening (Wsw) anders vorm te geven. De lijn om mensen niet in de sociale werkvoorziening te plaatsen, maar met ondersteuning bij reguliere bedrijven en instellingen is goed. Voor een dergelijke cultuuromslag is echter meer tijd nodig.

In Overijssel heeft de provincie een programmalijn *modern noaberschap* geïntroduceerd. Modern noaberschap is op een tweezijdige manier verbinden en verbanden organiseren, ook vanuit een welbegrepen eigenbelang. Dat leidt tot nieuwe vormen van coöperatieve samenwerking tussen burgers, al dan niet geïnstitutionaliseerd, waarbij het gezamenlijke bestaan centraal staat. Een dergelijke benadering verdient navolging op de regionale arbeidsmarkt, zodat mensen daadwerkelijk kunnen deelnemen afhankelijk van hun mogelijkheden. Het is een pleidooi om de arbeidsmarkt en de sociale zekerheid regionaal te verbinden in het arbeidsbureau 3.0 Alleen zo kunnen er echt nieuwe arrangementen ontstaan, die mensen mogelijkheden bieden en waarin particuliere initiatieven van werkgevers en werknemers in partnerschap met gemeenten hun verantwoordelijkheid vormgeven.

De ChristenUnie is voorstander van een omslag in denken over het sociale stelsel. De verzorgingsstaat heeft gezorgd voor een door de overheid gereguleerd socialezekerheidsstelsel met een sterk gebureaucratiseerde aanpak. De kanteling van deze verzorgingsstaat naar een participatiemaatschappij waarin de eigen verantwoordelijkheid van burger en samenleving veel meer naar voren komt, is wenselijk. Voor de ChristenUnie zijn twee kernbegrippen van belang: sociale gerechtigheid en sociale verantwoordelijkheid. De overheid is er voor het recht dat ieder toekomt, van de samenleving vragen wij een bijdrage voor de alle-

daagse sociale betrekkingen, opdat mensen kunnen deelnemen. De inzet op arbeidsdeelname naar mogelijkheden,
activerend en beschermend, vraagt om een integrale regionale aanpak dicht bij de basis en met betrokkenheid, niet alleen van gemeenten, maar ook van werkgevers en werknemers zelf. De beweging naar nieuwe solidariteit moet mede van onderaf gedragen worden. Daartoe zijn er nieuwe
vormen van samenwerking op de regionale arbeidsmarkt
nodig, zoals het Maaslandmodel beoogt. De toekomst van
de sociale zekerheid ligt niet langer in een collectieve, centraal georganiseerde uitwerking, maar vraagt veel meer om
een sociale regionale arbeidsmarktagenda, waarin ruimte is
voor gezamenlijke verantwoordelijkheid.

Jan Westert

*De auteur is voorzitter van de Mr. G. Groen van Prinstererstichting,
het wetenschappelijk instituut van de ChristenUnie, en fractievoor-
zitter van de ChristenUnie in Overijssel.*

Oog voor elkaar:
een basisuitkering met toeslagen

De economische ontwikkeling van dit moment is onzeker. Dat is niet uniek. Die onzekerheid is namelijk met het aardse bestaan gegeven. Welvaartsstijging en terugval in economische groei wisselen elkaar af. Voorspoed en tegenslag volgen elkaar op. Maar niet iedereen ondervindt de gevolgen hiervan in gelijke mate. Dat vergroot de sociaaleconomische ongelijkheid in de samenleving. Soms divergeren de uitersten zozeer dat bepaalde groepen of personen onder het maatschappelijk aanvaarde minimum belanden, zodat van een menswaardig bestaan geen sprake meer is. Het socialezekerheidsstelsel streeft ernaar zulke situaties te voorkomen en te verhelpen. Deze inzet onderschrijft de SGP van harte.[1]

Hoewel de term 'zekerheidsstelsel' anders doet vermoeden, biedt het systeem geen garantie voor iedereen in elke tijd. Dat zat ingebakken in de vooronderstellingen waarop het stelsel berust. De significante welvaartsstijging flatteerde dit fundamentele gegeven. Het raakte zogezegd uit beeld. De laatste decennia komt steeds nadrukkelijker naar voren dat, wil het stelsel van sociale zekerheid duurzaam en houdbaar zijn, mensen, overheidsinstellingen, bedrijfsartsen en ondernemers hun verantwoordelijkheid niet meer moeten afwentelen op de sociale zekerheid.

Van meet af aan heeft de SGP de verantwoordelijkheid van de overheid voor het stelsel van sociale zekerheid zo beperkt mogelijk willen houden. Hierbij was voor de SGP het beginsel van subsidiariteit leidend. Volgens dit principe dient de steun van de overheid slechts aanvullend te zijn. Mensen komen het best tot hun recht wanneer zij worden aangesproken op de eigen verantwoordelijkheid en capaciteiten om zelf in hun levensonderhoud te voorzien. Daarnaast zijn er maatschappelijke verbanden, particuliere organisaties en geloofsgemeenschappen die mensen daarbij kunnen ondersteunen, in het bijzonder wanneer zij tegenslag in hun leven ondervinden. Pas als capaciteit en ondersteuning vanuit maatschappelijke verbanden ontoereikend blijken, springt de overheid bij.

Vooral in de tweede helft van de twintigste eeuw is de toepassing van het subsidiariteitsbeginsel steeds meer achterwege gelaten. De algemene opvatting was dat mensen niet afhankelijk van elkaar moesten zijn. Dat zou hun waardigheid en zelfrespect te kort doen. Aan de basis van deze oriëntatie ligt de zienswijze dat de mens een autonoom individu is. Om die autonomie ten volle tot gelding te brengen moest het individu rechten jegens de overheid kunnen laten gelden, om zich bijvoorbeeld bij tegenslag, ziekte, werkloosheid of anderszins van een inkomen te voorzien. De paradox van deze benadering is dat mensen in knelsituaties steeds afhankelijker werden van de overheid. Te vaak bleek dat een kafkaëske bureaucratie te zijn met formulieren en loketten, zonder persoonlijke benadering en aandacht.

De manier waarop een politieke partij het socialezekerheidsstelsel wenst vorm te geven, hangt sterk samen met haar zienswijze op mens en samenleving. Vanuit welke mensvisie en van welk maatschappijbeeld gaat de SGP uit?

Moderne visies op mens en samenleving kiezen de individuele, zelfstandige mens als vertrekpunt. Daartegenover stelt de SGP op grond van de bijbelse scheppingsgedachte dat de mens geen solitair, autonoom individu is, maar een relationeel wezen. Ieder mens is geplaatst in een viertal verbindingen of relaties, namelijk tussen God en de mens, tussen de mens en de medemens(en), tussen de mens en de schepping (leefomgeving) en tussen de mens en zichzelf. Voor een zinvol en evenwichtig bestaan is het van belang om deze relaties in balans te houden en geen van deze relaties uit het oog te verliezen. Want dan raak je als mens uit evenwicht. Bovendien kost het de samenleving erg veel geld, vooral in de sfeer van sociale zekerheid en gezondheidszorg.

Op basis van het relationele mensbeeld ziet de SGP de maatschappij niet als een verzameling losse individuen, maar als opgebouwd uit gemeenschappen of levenskringen die nevengeschikt zijn aan elkaar. Elke kring heeft zijn eigen karakter. Zo is de kring van de staat primair een rechtsgemeenschap, de kring van het gezin een liefdesgemeenschap en die van de kerk een geloofsgemeenschap. Voor het socialezekerheidsbeleid geldt daarom niet de liefde of het geloof als belangrijkste norm, dat zou de eigen aard van het overheidsgezag tekortdoen. Een andere gevolgtrekking uit deze maatschappijvisie is dat de overheid de zelfstandigheid van het gezin moet respecteren en de verantwoordelijkheid ervan erkent.

Voor een zo groot mogelijke maatschappelijke vrijheid bepleit de SGP terughoudendheid van de overheid: zij moet niet treden in andere kringen van de samenleving, tenzij er sprake is van inbreuk op de (publieke) rechtsorde. Een van de redenen voor de oprichting van de SGP in 1918 was daarom de verzekeringsplicht die van overheidswege aan burgers werd opgelegd. Terughoudendheid is overigens ook geboden vanuit het besef dat al te riante regelingen oneigenlijk gebruik en fraude in de hand werken. De ontkenning van fraude met sociale uitkeringen door premier Den Uyl indertijd blijkt jaar na jaar helaas flink gelogenstraft.

Welke consequenties heeft voorgaande visie voor het huidige stelsel van sociale zekerheid?

Voorop staat de inzet om de oriëntatie van de naoorlogse sociale zekerheid op het verzekeren van het inkomen te verleggen naar een focus op het voorzien in een bestaansminimum. Dit bestaansminimum moet de overheid ondubbelzinnig definiëren als ondergrens, als 'sociaaleconomische' bodem. Daarbij moet bijvoorbeeld worden gedacht aan voedsel, kleding, onderdak, gezondheidszorg, energie en water. Dat heeft immers ieder mens nodig. Met minder kun je niet toe.

Het stelsel dient prikkels te bevatten voor sociale en economische activering. Daarom komt er boven op de basisuitkering een toeslag voor wenselijke zaken die het functioneren in de samenleving vergemakkelijken, zoals vervoer, aansluiting voor telefoon of internet, mogelijkheid voor sport en ontspanning. Deze toeslag dienen mensen in principe te verwerven, bijvoorbeeld door het doen van vrijwilligerswerk, het volgen van een taalcursus of een opleiding (omscholingstraject). De afstand tot de arbeidsmarkt wordt op deze manier verkleind of zo klein mogelijk gehouden. Het volgen van een opleiding of het doen van vrijwilligerswerk geeft bovendien structuur aan het leven, wat het welbevinden van mensen bevordert.

Tegenover deze prikkel staat een sanctiemogelijkheid. Wie weigert mee te werken aan verkleining van de afstand tot de arbeidsmarkt of voor de tweede keer een aangeboden baan weigert, wordt geconfronteerd met een korting op de toeslag. Uiteraard worden mensen met een beperking of ernstige ziekte hiervan uitgezonderd. Daarnaast moet het stelsel zo zijn ingericht dat er geen abrupte, te forse terugval in het (gezins)inkomen optreedt. Zo dient de ww-uitkering na een jaar in een geleidelijk tempo te worden afgebouwd naar bijstandsniveau. De beperking van de Anw-uitkering tot een periode van één jaar is voor nabestaanden veel te kort, die moet weer twee jaar worden.

De SGP pleit voor een waarborgstelsel in combinatie met een hechte, zorgende samenleving. Hierdoor worden mensen minder afhankelijk van de overheid en meer aangesproken op hun creativiteit en probleemoplossende vermogen. Het waarborgstelsel leidt ook tot minder omvangrijke premie- en belastingheffing, waardoor het aantrekkelijker wordt om te werken in plaats van afhankelijk te zijn van een uitkering. Dankzij lagere arbeidskosten neemt de concurrentiekracht van de Nederlandse economie toe. Per saldo hoeft de sociaaleconomische hulp voor mensen niet af te nemen. Weliswaar neemt de overheidssteun af, maar de (wederkerige) hulp tussen mensen onderling neemt toe. Dat geldt ook voor steun die particuliere instanties en kerken of geloofsgemeenschappen verlenen. De overheid richt zich op het voorzien in een bestaansminimum. De toelage voor wenselijke zaken kan in de toekomst stap voor stap worden overgelaten aan het particulier initiatief. De verwachting is dat door deze omvorming en gedeeltelijke vermaatschappelijking van de sociale zekerheid het misbruik en oneigenlijke gebruik aanmerkelijk afnemen.

Goed werkgeverschap houdt in dat werkgevers ook omzien naar mensen 'met een vlekje', waarbij de meeste werkgevers tot nog toe de neiging hebben om die bij sollicitaties te passeren. Het argument dat een bedrijf geen sociale instelling is, is te kort door de bocht. Uiteraard moeten ondernemingen winst maken. Maar wat is die financiële winst waard als de prestaties van een bedrijf de samenleving niet vooruit helpen? Het concept 'maatschappelijk verantwoord ondernemen' spoort aan tot een bredere oriëntatie op het functioneren van een onderneming. Vanzelfsprekend leent niet elke bedrijfsactiviteit zich hiervoor even gemakkelijk. Maar een creatieve werkgever weet mogelijkheden binnen zijn bedrijf te vinden voor het aantrekken van mensen met een beperking, zonder dat zijn bedrijf een sociale instelling wordt.

De overheid kan op de arbeidsmarkt de vraag naar mensen met een beperking bevorderen door een ruimere toepassing van het instrument van loonkostensubsidie. Op deze manier krijgen ondernemers een financiële stimulans om functies in hun bedrijf open te stellen voor mensen die zich in een achterstandssituatie ten opzichte van de arbeidsmarkt bevinden.[2] Zo kunnen veel meer mensen aan de slag en integreren zij daadwerkelijk in de samenleving. Hun afhankelijkheidsgevoel neemt zienderogen af, hun zelfwaardering en zelfredzaamheid nemen toe doordat ze een arbeidsprestatie leveren en daarvoor loon ontvangen.

Armoede heeft niet alleen een materieel aspect. Daarom dient het socialezekerheidsstelsel de morele en sociale verheffing – in deze volgorde – van mensen die zich in een achterstandssituatie bevinden te bevorderen. Terecht heeft de Wetenschappelijke Raad voor het Regeringsbeleid (WRR) in zijn rapport *De verzorgingsstaat herwogen* gepleit voor een sterker accent op de functies van verbinden en verheffen. De mens is een relationeel wezen en is voor zijn welbevinden mede aangewezen op anderen. Deze menselijke wederkerigheid dient niet weggeorganiseerd, maar veeleer gekoesterd en bevorderd te worden. Menselijk geluk houdt geen gelijke tred met de welvaartsstijging. Een andere immateriële dimensie is dat armoede een appèl doet op rijke mensen. Zij kunnen de kostbare ervaring opdoen dat niet graaien, maar geven pas echt rijk maakt.[3]

Last but not least wil de SGP de individualiseringsgedachte in de sociale zekerheid terugdringen. Daarom is de invoering van de huishoudinkomenstoets een goede zaak. Maar er is meer. De massieve inzet op een hogere arbeidsparticipatie beperkt de beschikbaarheid van mantelzorgers en vrijwilligers. Het geven van tijd aan vrijwilligerswerk en mantelzorg wordt fiscaal sterk ontmoedigd. Deze spagaat in het overheidsbeleid heeft nadelige effecten op bijvoorbeeld de ontwikkeling van zorgkosten (intramuralisering), op de sociale cohesie in de samenleving en op de eenzaamheid onder ouderen.

Verder verdient belangeloos werk in het gezin veel meer waardering. Een goed gezin is het halve werk. Hechting aan de ouders en een goede opvoeding zijn van wezenlijk belang voor de ontwikkeling en toerusting van kinderen en jongeren, zodat zij opgroeien tot stabiele volwassenen. Preventief beleid – het vermijden van jeugdproblematiek – begint hier en bespaart de samenleving veel kosten. Daarnaast geldt de pragmatische wijsheid dat kinderen de belastingbetalers van de toekomst zijn. De overwaardering van productieve arbeid (die materiële goederen voortbrengt) ten opzichte van niet-productieve arbeid (zoals zorg, opvoeding, onderwijs) berokkent de samenleving grote schade. Daarmee schieten we onszelf in de voet. De overheid doet er wijs aan ouders veel meer keuzevrijheid te geven, bijvoorbeeld door het fiscale stelsel leefvormneutraal in te richten.

WIA

'Nederland is ziek,' zei premier Lubbers in september 1990, doelend op de alsmaar stijgende uitgaven aan WAO-uitkeringen en het hoge ziekteverzuim. De aanzuigende werking van de WAO bleek bij de totstandkoming ervan schromelijk onderschat. Oneigenlijk gebruik werd in de hand gewerkt. Werkgevers konden minder productieve werknemers in de WAO 'schuiven' en nieuwe, productievere arbeidskrachten aannemen. Onder de WAO waren de prikkels bij het intreden van ziekte te veel gericht op het aantonen van arbeidsongeschiktheid. De WIA daarentegen stelt het arbeidsvermogen centraal. Het onderscheid tussen geheel en gedeeltelijk arbeidsongeschikten werd ingevoerd. De verantwoordelijkheid van de werkgever en de werknemer bij de activering van werknemers werd vergroot.

Met de WIA wordt het accent gelegd op activering, terwijl de WAO focust op de inkomensbescherming. Het is van belang deze prioriteitsstelling en urgentie van de WIA te onderstrepen. De blik dient niet allereerst op de overheid te zijn gericht voor het verkrijgen van inkomen, maar de eigen verantwoordelijkheid van betrokkenen en de samenleving gaat voorop. Alleen wanneer die onvoldoende waargemaakt kan worden, mag een bijdrage van de overheid worden verwacht. Het is niet sociaal om mensen te vlot afhankelijk te maken van de overheid. De persoonlijke verantwoordelijkheid en de betrokkenheid van de werkgever zijn bovendien effectiever dan stimulering vanuit de overheid.

Het bereik van de WAO/WIA is geleidelijk beperkt door uitbreiding van de verantwoordelijkheid van de werkgever bij ziekte. De loondoorbetaling bij ziekte was aanvankelijk beperkt. De termijn is geleidelijk uitgebreid naar een jaar en vervolgens naar twee jaar, overigens al voor de inwerkingtreding van de WIA. Die ontwikkeling is begrijpelijk. Wanneer het vangnet van de WIA binnen handbereik is, verzwakken de prikkels bij werkgever en werknemer om aan activering te werken. Wel is een terechte vraag of een loondoorbetaling van twee jaar een goede balans is tussen de verantwoordelijkheid van de werkgevers en die van de overheid. De uitbreiding naar twee jaar is inhoudelijk namelijk niet stevig onderbouwd. Het belangrijkste deel van de vermijdbare ziekte of arbeidsongeschiktheid lijkt zich in het eerste jaar te concentreren. Het is de vraag of verkorting naar een jaar significante negatieve prikkels oplevert, mede gezien de toets na afloop op geleverde inspanningen. Een dergelijke inkorting zou wel een flinke lastenverlichting voor het bedrijfsleven betekenen.

De bereidheid van werkgevers om gedeeltelijk arbeidsongeschikten in dienst te nemen, blijft onverminderd een belangrijk aandachtspunt. De zorgen die de SGP bij de behandeling van de WIA uitsprak, zijn helaas onverminderd actueel. Er moet breder worden gekeken naar mogelijkheden om deze doelgroep aan het werk te helpen en te houden. Onorthodoxe wijzigingen van het arbeidsrecht kunnen niet buiten beeld blijven. Te denken valt aan verruiming van het aantal tijdelijke contracten voor specifieke groepen. Veel werknemers hebben liever werk met minder zekerheid dan geen werk met meer zekerheid. Ook de mogelijkheid van proefplaatsingen kan worden verruimd. Een grotere betrokkenheid van het MKB is belangrijk. Aanpassing van de huidige premiekorting is nodig, omdat kleine werkgevers de premiekorting niet volledig kunnen verzilveren. Daarom verdient een bonusstelsel de voorkeur.

Wajong
Het kabinet-Rutte I heeft met het wetsvoorstel Werken naar vermogen een nieuwe stap willen zetten naar een acti-

verende sociale zekerheid. In dat kader werd ook de Wajong meegenomen. Bij de onderbouwing verwijst het kabinet naar het doembeeld in de jaren negentig van de vorige eeuw van één miljoen WAO'ers. Dat schrikbeeld doemt nu op bij de Wajong. Tussen 2005 en 2010 is de instroom van het aantal Wajongers verdubbeld. Zonder ingrijpen zou het aantal Wajongers nogmaals verdubbelen tot 400.000 in 2040. Naast de herziening van de WAO en de Wwb (Wet werk en bijstand) behoeft daarom ook de Wajong aanpassing.

Als verklaring voor de stijgende instroom van Wajongers worden verschillende maatschappelijke factoren genoemd. Zo zou de tolerantie voor afwijkingen zijn afgenomen. Ook worden kinderen vandaag de dag sneller en vaker gediagnosticeerd. De SGP wil dat de overheid zulke ontwikkelingen kritisch beoordeelt. De ontwikkelingen in het passend onderwijs laten immers zien dat onhoudbare (financiële) situaties kunnen ontstaan. Afgezien van genoemde factoren speelt zonder meer de beeldvorming rondom Wajongers een belangrijke rol. Te snel wordt het beeld opgeroepen van jongeren die kansloos zijn op de arbeidsmarkt. Bij het verlaten van het praktijkonderwijs en het speciaal onderwijs krijgen leerlingen in veel gevallen standaard een formulier voor de Wajong uitgereikt. De SGP vindt dat een onwenselijk signaal, dat geen recht doet aan deze jongeren. Ze verdienen hulp bij het zoeken naar mogelijkheden om bij een reguliere werkgever aan de slag te gaan. Tegelijk is het belangrijk om te bevorderen dat werkgevers Wajongers in dienst nemen.

De SGP steunt het uitgangspunt om ook bij Wajongers een zo helder mogelijk onderscheid te maken tussen volledig en duurzaam arbeidsongeschikten en Wajongers met arbeidsmogelijkheden. Vanwege de scherpe afbakening is een landelijke verantwoordelijkheid van het UWV voor de groep duurzaam arbeidsongeschikte Wajongers logisch. Wanneer het aankomt op maatwerk, is daarentegen juist van belang dat de activering zo dicht mogelijk bij burgers en werknemers gebeurt. In navolging van de Wet werken naar vermogen kiest de aangekondigde Participatiewet er daarom terecht voor deze verantwoordelijkheid bij de gemeente te leggen.

Het activeren van werkgevers kan het best op lokaal niveau plaatsvinden. Uit onderzoek naar de relatie tussen werkgevers en gemeenten blijkt vaak dat de directe contacten, die op gemeentelijk niveau eenvoudiger te organiseren zijn, onvoldoende van de grond komen. Werkgevers die positief staan tegenover het in dienst nemen van Wajongers blijven zodoende buiten beeld. Een gemiste kans. Gemeenten zullen hiermee actiever aan de slag moeten gaan. Door de gemeente integraal verantwoordelijk te stellen voor deze doelgroep – op het gebied van onderwijs, jeugdzorg, Wmo en uitkeringen – ontstaan hiervoor de benodigde prikkels.

Voor het overtuigen van werkgevers is van belang dat zij zo min mogelijk te maken krijgen met rompslomp en onzekerheid. Stabiel en betrouwbaar overheidsbeleid is dus echt nodig. Het inzetten van instrumenten als de no-riskpolis kan risicomijdende werkgevers over de streep trekken. Loonkostensubsidie zorgt daarnaast voor een eenvoudige ondersteuning, die Wajongers bovendien een volwaardig loon en normale dienstbetrekking biedt. Zij krijgen dan één loonstrook.

De hoogte van de tegemoetkoming door de gemeente moet aan twee vereisten voldoen. Allereerst moet de uitkering niet hoger zijn dan noodzakelijk. De uitkering is aanvullend op het inkomen dat op basis van de persoonlijke verantwoordelijkheid wordt verdiend. Tegelijk moet de uitkering voldoende prikkels voor werknemers bieden om zich verder te ontwikkelen. Een volledige korting van elke extra verdiende euro is daarom niet verstandig. De gemeente dient te bewaken dat regulier werk uiteindelijk perspectief biedt op een hoger salaris dan een uitkering of een voorziening voor beschut werk.

Wet Sociale Werkvoorziening

Vanuit de visie dat het verrichten van arbeid zinvol en positief is voor mens en samenleving, steunt de SGP de sociale werkvoorziening. Het is een goede zaak wanneer mensen met een fysieke of psychische beperking passend werk krijgen aangeboden, al dan niet in een beschutte werkomgeving. De vaste dagindeling geeft structuur aan hun leven, vergroot de zelfredzaamheid en levert resultaten op voor de samenleving.

Naast het bieden van passende arbeid is de sociale werkvoorziening van meet af aan bedoeld als tijdelijke opvang en begeleiding naar een reguliere baan in het 'vrije bedrijf', ook al blijft een deel van de doelgroep vanwege de mogelijkheden aangewezen op een dergelijke voorziening. Ondanks de creatieve pogingen van mensen in het werkveld is van de doorstroom naar het vrije bedrijf door de jaren heen helaas onvoldoende terechtgekomen. Diverse factoren spelen hierbij een rol.

Er bestaan allerlei maatregelen die bevorderen dat mensen met een beperking in het gewone bedrijfsleven een baan vinden. Denk aan Begeleid Werken, een zeer aantrekkelijke constructie voor werkgevers. In de praktijk blijkt plaatsing op basis van een tijdelijk arbeidscontract redelijk succesvol, maar zodra een vast contract in beeld komt, haken de meeste werkgevers af. De vraag dringt zich dan op of zij wel voldoende intrinsieke motivatie hebben om werknemers met een beperking kansen te bieden. Daarnaast vinden werkgevers de risico's blijkbaar te hoog. Via het instrument van loonkostensubsidie in combinatie met een bonusstelsel (waarbij de bonus oploopt naarmate de werknemer met beperking langer in dienst is) wil de SGP het werkgeversrisico beperken. Tegelijk moeten werkgevers de neiging weerstaan te focussen op wat een werknemer door zijn arbeidshandicap níet kan, maar meer letten op wat hij of zij wél zou kunnen. Met behulp van *jobcarving*[4], *jobcreation* en *jobcoaching* is meer mogelijk dan veel ondernemers voor mogelijk houden. Maar dan is wel een andere instelling nodig. Want een medewerker die extra begeleiding vraagt, vergt enig omdenken: gaan we alleen voor groei en winst van de onderneming of letten we ook op wat goed is voor mens en samenleving?

Een andere factor is dat de relatief hoge beloning voor werken in een sociale werkplaats een deel van de Wsw'ers niet stimuleert om een baan elders te aanvaarden. Dat kan namelijk leiden tot een achteruitgang in het salaris tot twintig procent. Daarbij komt de sterke rechtspositie van een Wsw-werknemer. Vanwege het overeengekomen arbeidscontract kan de sociale werkplaats de Wsw'er meestal niet ontslaan wanneer deze een andere betrekking niet accepteert. Door deze factoren zit een deel van de Wsw'ers opgesloten in een 'gouden kooi'. Wat is er sociaal aan om de rechten van een bestaande groep zo sterk te beschermen dat rechten van toekomstige Wsw'ers daardoor in de knel komen?

De SGP vindt dat beschut werk moet blijven bestaan als een voorziening die de gemeente aanbiedt aan werknemers met een beperking. Nieuwe instroom met voldoende prestatievermogen[5] krijgt geen arbeidscontract aangeboden, maar een leerwerktraject, waarbij de persoon met een Wsw-indicatie wordt begeleid in de kwalificatie voor en het zoeken naar een passende betrekking bij een reguliere werkgever. Een deel van het beschikbare budget zou niet alleen voor beloning, maar ook voor begeleiding mogen worden aangewend. Gemeenten krijgen hierdoor veel meer vrijheid om slimme combinaties te maken, bijvoorbeeld met dagbesteding.

Ten slotte kan een beschutte werkplek in een sociale werkplaats mensen met een beperking afschermen van het geheel van de samenleving. Wanneer we vaker mensen met een beperking in allerlei organisaties en ondernemingen ontmoeten, bevordert dat de acceptatie van gehandicapten in de samenleving. Ook valt een kostenbesparing te realiseren doordat de begeleiding van werknemers met een beperking plaatsvindt door 'gewone' collega's in combinatie met een professionele jobcoach.

De Schotse predikant Thomas Chalmers (1780-1847) was zeer begaan met de armste bevolkingsgroepen in Glasgow, de stad waar hij voorganger was. In een achterstandswijk van Glasgow zette hij een programma van sociale hervormingen op dat bekend werd als het St. John's Experiment. Chalmers was verklaard tegenstander van staatsarmenzorg. Hij voorzag dat een dergelijk systeem financieel onhoudbaar zou zijn. Volgens hem werkte het bovendien verdere verpaupering in de hand, zeker wanneer de overheidssteun niet gepaard zou gaan met inzet voor sociale en morele verheffing. *No measures, but men* was zijn adagium. Naast hulp voor mensen in behoeftige omstandigheden organiseerde hij daarom opvoedkundige bijeenkomsten, probeerde hij de arme bevolking verantwoordelijkheidsbesef bij te brengen en uit haar sociaaleconomische isolement te halen. Chalmers was ervan overtuigd dat het onvoldoende was om alleen de materiële omstandigheden van mensen te verbeteren, zonder de moraal van de bevolking op een hoger plan te tillen. Dankzij het St. John's Experiment daalde de werkloosheid, nam het alcoholisme drastisch af, verbeterden de gezinsverhoudingen merkbaar en daalden de uitgaven voor armenzorg in een paar jaar tijd met maar liefst tachtig procent. Dat geeft te denken en zou velen vandaag tot nadenken moeten stimuleren.

De SGP wil Chalmers' experiment niet zomaar overzetten naar de huidige Nederlandse situatie. Maar zijn benadering inspireert wel en zijn vooruitziende blik over de (on)betaalbaarheid en de noodzaak van morele en sociale verheffing zijn zonder meer opmerkelijk. De SGP pleit er daarom uit volle overtuiging voor om materiële steun en een moreel appèl op verantwoordelijkheidsbesef samen op te laten gaan. Juist in de westerse samenleving blijkt het hoognodig om het economische en ethische op elkaar te betrekken en elkaar te laten versterken. Als hervormingen langs deze lijn plaatsvinden, wordt het socialezekerheidsstelsel echt sociaal.

Jan Schippers

De auteur is directeur van de Guido de Brès-Stichting van de SGP.

AWBZ

Prof. mr. B.M. Teldersstichting (VVD)
Nicolaas G. Pierson Foundation (PvdD)

Minder overheidssteun en meer eigen verantwoordelijkheid

'De hervorming van de sociale toestand der arbeiders is het vraagstuk bij uitnemendheid dat onze tijd heeft op te lossen. De drang naar meerdere staatsbemoeiing spruit voort uit het besef, dat de regeling van maatschappelijke betrekkingen in den levenskring der werklieden, reeds al te lang op zich liet wachten.'

P.W.A. Cort van der Linden

In zijn boekje *Richting en beleid der Liberale Partij* uit 1886 maakte de liberale politicus en hoogleraar P.W.A. Cort van der Linden duidelijk voor welke grote uitdaging het liberalisme in zijn ogen op de drempel van de twintigste eeuw stond. Ingrijpen van de staat moest niet langer beperkt blijven tot primaire taken als de interne en externe veiligheid en de zorg voor infrastructuur. De veranderingen in staat en samenleving, als gevolg van het moderniseringsproces, waren van dusdanige omvang dat het oude laisser faire-liberalisme om modificatie vroeg.[1]

Met Cort van der Linden stond in Nederland een nieuwe generatie liberalen op, die voorzichtige stappen zette richting meer sociale wetgeving. Het was Samuel van Houten die in 1872 met de publicatie van *De Staatsleer van Mr. J.R. Thorbecke* afrekende met de in zijn ogen behoudzuchtige liberalen van 1848. Thorbecke – zojuist in het harnas gestorven – werd weggezet als een 'tevreden liberaal' die onvoldoende oog had voor de uitdagingen van de moderne tijd. Nog voordat Thorbecke in 1871 aantrad als leider van zijn derde en laatste kabinet, werd door voornamelijk liberalen het Comité ter bespreking der Sociale Quaestie opgericht. Dit comité had zich ten doel gesteld voor de sociale kwestie een plaats op de politieke agenda te veroveren. In 1874 werd bovendien het Tijdschrift *Vragen des Tijds* opgericht. De oprichters beoogden een bijdrage te leveren aan de theoretische onderbouwing van het 'vooruitstrevende' liberalisme.[2]

Met de komst van het sociaalliberalisme werd een aantal traditioneel liberale denkbeelden herijkt. In de eerste plaats wijzigde het mensbeeld van de zelfstandige burger die, mits hij daartoe voldoende inspanning leverde, er op eigen kracht wel zou komen. Sociaalliberalen erkenden dat er omstandigheden waren waaronder burgers – buiten hun eigen schuld om – niet voor zichzelf konden zorgen. Daarnaast veranderde de visie op staatsingrijpen. Daar waar klassiek-liberalen van mening waren dat de individuele vrijheid voorafging aan interventie van de staat, zagen sociaalliberalen in staatsingrijpen juist een noodzaak tot consolidering van de individuele vrijheid.

Ten onrechte wordt over liberalen nogal eens beweerd dat zij slechts in reactie op – en dus in navolging van – anderen (socialisten en confessionelen) aandacht aan sociale wetgeving zijn gaan besteden. Wie zich ook maar enigszins in de geschiedenis verdiept, ziet direct dat dit niet klopt.

Zo organiseerden de liberalen zich in België relatief vroeg. In dat land richtten de liberalen al in 1846 een landelijke partij op. Een van haar zes programpunten luidde: 'De zeer noodzakelijke verbetering van de levensomstandigheden van de arbeidende en behoeftige klasse.'[3] Dit was ruim voordat zich een georganiseerde socialistische beweging aandiende en ook voordat de katholieke partij aandacht aan het sociale vraagstuk schonk.

In Nederland kwam in 1885 de landelijke Liberale Unie tot stand. Aanvankelijk kende deze geen centraal programma, maar toen het bestuur zich daarop oriënteerde, kreeg sociale wetgeving de meeste aandacht, wat door de algemene vergadering in mei 1886 bij acclamatie werd aanvaard.[4] Pas kort daarvoor was er een socialistische partij opgericht, de Sociaal-Democratische Bond (SDB), maar in ons parlement zat nog geen enkele socialist.

Een van de Nederlandse liberalen die zich al vroeg over de 'sociale quaestie' boog, was Nicolaas Gerard Pierson, onder wiens leiding van 1897 tot 1901 een liberaal kabinet regeerde dat de bijnaam 'het kabinet der sociale rechtvaardigheid' verwierf. Tien jaar vóór het aantreden van zijn kabinet bepleitte hij in een lezing voor de Maatschappij tot Nut van het Algemeen maatregelen zoals arbeidstijdverkorting, regulering van arbeid verricht door vrouwen en kinderen en invoering van de leerplicht (die onder zijn leiding later tot stand kwam). Maar tevens gaf hij aan dat het stimuleren van 'zelf-hulp' belangrijker was dan staatsregulering, en dat staatssteun altijd een tijdelijk karakter zou moeten hebben.[5] Want hoezeer zij misstanden ook wilden bestrijden, liberalen hadden steeds een principiële voorkeur voor eigen initiatief en verantwoordelijkheid en zij waren beducht voor wetgeving die de eigen verantwoordelijkheid zou ondermijnen.[6]

Weinigen onder de Nederlandse liberale politici rond 1900 konden bevroeden hoe wijd het sociale vangnet in de twintigste eeuw zou worden uitgespannen – een ontwikkeling die sowieso amper werd voorzien. Een uitzondering hierop vormt de negentiende-eeuwse denker Alexis de Tocqueville. Twee jaar na een reis door Engeland in 1833 hield De Tocqueville de rede *Mémoire sur le paupérisme* voor het Koninklijk Academisch Genootschap van Cherbourg. Centraal in deze rede stond de voortschrijdende ontwikkeling van het pauperisme, alsmede de verschillende pogingen van overheden aan dit verschijnsel een einde te maken. De Tocqueville waarschuwde al in 1835 dat moderne landen zich maar beter konden voorbereiden op de hardnekkigheid van dit probleem.[7]

'De vooruitgang van de beschaving stelt de mensen niet alleen bloot aan vele nieuwe vormen van armoede, maar brengt de samenleving er ook toe om noden te verlichten waaraan men in een minder ontwikkelde staat niet eens zou denken.'[8] De Tocqueville schetste aan de hand van de situatie die hij in 1833 in Groot-Brittannië aantrof de in zijn ogen desastreuze gevolgen van een wettelijk recht op ondersteuning van staatswege. De natuurlijke hang van mensen naar ledigheid wordt alleen doorbroken door de noodzaak om in leven te blijven en de wens om de levensomstandigheden te verbeteren. 'De ervaring heeft geleerd dat de meeste mensen alleen door de eerste van beide redenen [overleven] voldoende tot werken kunnen worden aangespoord, en dat de tweede slechts op een geringe minderheid van invloed is. Een liefdadigheidsinstelling die zonder onderscheid voor iedere behoeftige openstaat, of een wet die alle armen ongeacht de oorzaak van hun armoede recht geeft op publieke steun, verzwakt of verdooft de eerste prikkel en laat nog slechts de tweede intact.'[9]

Het zou voor de hand liggen, zo erkende De Tocqueville, dat de staat een onderscheid maakt tussen enerzijds mensen die buiten hun eigen schuld in de armoede zijn terechtgekomen en anderzijds mensen die zonder directe reden bij de staat aankloppen. De Britten hebben dit ook overwogen en zelfs geprobeerd, maar elke poging tot het aanbrengen van een dergelijke scheiding mislukte. De Franse denker vond dit maar al te begrijpelijk, want 'niets is zo moeilijk te onderscheiden als de nuances die het verschil uitmaken tussen onverdiende tegenspoed en problemen die het gevolg zijn van ondeugd'.[10]

Ook in zijn veel bekendere werk *De la démocratie en Amérique* werkte de Franse denker het gevaar van een te grote overheid nader uit. Indien de overheid in een democratische samenleving relatief klein is, zijn mensen gedwongen ofwel veel problemen zelf op te lossen ofwel in samenwerking met anderen naar oplossingen te zoeken. Zodra de overheid groeit en met haar ingrijpen de publieke ruimte in toenemende mate gaat beheersen, wordt de persoonlijke autonomie van burgers aangetast. Zij kunnen immers (al te) eenvoudig voor hun noden een beroep doen op de overheid die overal wel een wet of regeling voor heeft.[11]

Uiteraard was Alexis de Tocqueville een kind van zijn tijd en moet zijn betoog over het pauperisme in die context worden geplaatst. Daar waar we het in 2009 heel normaal vinden dat de overheid voor iedereen die dat nodig heeft een bestaansminimum verstrekt, was dat in 1833 geenszins gemeengoed. Toch kan worden gesteld dat de jonge Franse denker met zijn waarschuwingen voor een te grote overheid een scherp oog voor de realiteit had.

De klassieke staatstaken waren er vooral op gericht de negatieve vrijheid[12] van burgers te garanderen. In zekere zin kan worden gesteld dat 'onthouding' daarom een belangrijke opgave voor de staat was. Geleidelijk ontstond echter het idee dat de staat ook een taak had in het bevorderen van de positieve vrijheid – het creëren van voorwaarden die individuen in staat stelden ook daadwerkelijk van hun vrijheid gebruik te maken. John Stuart Mill was een van de eerste filosofen die zich meer richting het sociaalliberalisme begaven. Als advocaat van de individuele vrijheid vond hij dat onder druk van armoede, slechte huisvesting, onvoldoende onderwijs en het ontbreken van kansen op sociale mobiliteit weinig overbleef van de waardigheid van het individu. De individuele vrijheid was gebaat bij – hoe beperkt ook – staatsingrijpen.[13]

De theoretische fundering van het sociaalliberalisme werd in 1911 door de Britse liberale politicus Leonard Trelawny Hobhouse gelegd in het werk *Liberalism*. Hobhouse beargumenteerde dat het sociaalliberalisme geen breuk vormde met het klassieke laisser faire-denken uit het begin van de negentiende eeuw. Integendeel, sociale wetgeving was immers niet zozeer een inbreuk op de twee duidelijke idealen van het oude liberalisme – vrijheid en gelijkwaardigheid – maar veeleer een noodzakelijk middel voor hun verwezenlijking. Hobhouse rechtvaardigde staatsingrijpen vanwege de garantie van een bestaansminimum, met een beroep op het feit dat individuen hun eigendom behalve aan hun eigen inspanningen mede aan de organisatie van de samenleving te danken hadden. Daarom was het niet meer dan opportuun dat zij een deel daarvan terug zouden geven aan de staat om zo voor iedereen de individuele vrijheid mogelijk te maken.[14]

De discussie is tegenwoordig voor liberalen niet zozeer óf de staat een taak heeft op het vlak van de positieve vrijheden, maar hoe ver die taak dient te gaan.

Nadat de boom met sociale wetgeving in de eerste 25 jaar na de Tweede Wereldoorlog steeds meer was opgetuigd, was de VVD – met DS'70 – de eerste partij die misbruik aan de kaak stelde.[15] In 1976 vond de Teldersstichting, het liberale wetenschappelijk bureau gelieerd aan de VVD, dat het stelsel niet verder kon worden uitgebreid, omdat anders de Nederlandse concurrentiepositie zou worden ondergraven.

Dat die voorzichtige boodschap al commotie wekte, geeft aan in welk geestelijk klimaat de discussie over sociale zekerheid destijds plaatsvond. De Teldersstichting wilde bovendien een eigen bijdrage naast de ziekte-uitkering en voor de ziektekosten invoeren. Ten slotte gaf de werkgroep in overweging de kinderbijslag af te schaffen.[16] Meer dan 35 jaar later is de eigen bijdrage in de zorg nog altijd een *hot topic* en durft geen politicus zijn handen aan afschaffing van de kinderbijslag te branden, wat aangeeft hoe ver de commissie uit de Teldersstichting haar tijd vooruit was. Het laat ook zien dat in de politiek makkelijker over 'eigen verantwoordelijkheid' wordt gesproken dan dat het tot consequente toepassing komt.

In 1990 pakte een nieuwe werkgroep van de Teldersstichting de suggestie om de kinderbijslag af te schaffen weer op, met het argument dat het krijgen van kinderen geen onzekere gebeurtenis is. Deze werkgroep bestreed de gedachte dat de AOW als basis van een pensioenvoorziening als gevolg van het dalende geboortecijfer en de toenemende vergrijzing onbetaalbaar zou worden, maar stelde op principiële gronden – om individuele keuzevrijheid en privatisering te bewerkstelligen – een verplichte opbouw van een individueel pensioen voor; anders gezegd: afschaffing van de gedwongen winkelnering bij de pensioenfondsen waartoe het Nederlandse poldermodel het merendeel van de werknemers dwingt.[17] Eenzelfde voorstel werd 22 jaar later onder auspiciën van de Teldersstichting weer gedaan en grondig uitgewerkt.[18] Tegenwoordig kunnen deze voorstellen op een gunstiger maatschappelijk onthaal rekenen door de voortgeschreden individualisering, door de gewijzigde arbeidsmarkt (met al meer dan drie kwart miljoen zelfstandigen zonder personeel), en door de uitholling van de reserves van de pensioenfondsen en de perverse 'solidariteit' die als gevolg daarvan van jongere generaties wordt gevraagd (meer betalen opdat het pensioen van ouderen niet of maar weinig wordt gekort, terwijl de fondsen zonder forsere kortingen voor dezelfde jongeren zo goed als zeker zullen zijn uitgeput wanneer zij een (hoger liggende) pensioenleeftijd zullen bereiken). De politieke weerstand tegen zo'n principiële omschakeling is echter vooralsnog hardnekkig.

Aan eigen verantwoordelijkheid is meer algemeen maar mondjesmaat politiek gestalte gegeven. In 2006 koerste de VVD, net als menig andere partij, ten aanzien van de kinderopvang zelfs de andere kant op. Die zou volgens haar verkiezingsprogramma 'gratis' moeten worden, wat nodig werd geacht om de participatie van vrouwen op de arbeidsmarkt te bevorderen. Onder invloed van de kredietcrisis sneuvelde dit programpunt weliswaar, maar het beginsel dat wie ervoor kiest kinderen te krijgen en tevens wil werken, dan ook zelf de kosten voor opvang zou moeten dragen en deze niet (via de belastingen) bij de buren moet deponeren, heeft zelfs bij de VVD nog geen ingang gevonden.

De precaire balans tussen enerzijds overheidsingrijpen gericht op zorgzaamheid en ontplooiing voor alle individuen en anderzijds zelfstandigheid en eigen verantwoordelijkheid sloeg de afgelopen decennia meer dan eens door richting te veel overheidsingrijpen. De verwende burger verwacht aan de ene kant dat de overheid zich niet al te veel met zijn leven bemoeit – en claimt dus in grote mate negatieve vrijheid – maar verwacht anderzijds op allerlei terreinen juist hulp van de overheid, zeker als het misgaat. Problemen hoeven vaak niet meer zelf opgelost te worden, maar kunnen worden geparkeerd bij de overheid, die met collectieve middelen vrijwel overal een oplossing voor heeft.

Een treffend voorbeeld van deze problematiek wordt gevormd door de Algemene Wet Bijzondere Ziektekosten (AWBZ), die in 1968 werd ingevoerd als collectieve, verplichte verzekering. In oorsprong was de wet bedoeld voor onverzekerbare medische risico's waar mensen met een lichamelijke, verstandelijke of psychiatrische aandoening, ouderen of chronisch zieken mee te maken zouden krijgen. Geleidelijk aan werd echter steeds meer tot de AWBZ gerekend, als gevolg waarvan allerlei zaken, zoals dagbesteding en abortus, die niets te maken hebben met een langdurige en zeer ernstige zorgvraag, ook vergoed werden. Het was wachten op de huidige zorgen over de betaalbaarheid van deze collectieve maatregel.

Halverwege de jaren negentig zorgde de invoering van het persoonsgebonden budget (pgb) voor een trendbreuk in de AWBZ. Opeens stond de zorgvrager centraal; deze kon met het hem toegekende budget zelf in vrijheid in zijn zorgvraag voorzien. Voor liberalen was het pgb een belangrijke stap naar meer autonomie voor de zorgvrager. Echter, ook hier werd al snel duidelijk hoe overheidsbemoeienis tot uitwassen kan leiden.

Het pgb werd niet alleen aangewend om in de zorgvraag te voorzien, maar ook om bijvoorbeeld hulp in de huishouding te bekostigen, waarbij deze hulp meer dan eens door de directe omgeving werd verleend. Daar waar het voorheen vanzelf sprak dat naasten vrijwillig een handje uitstaken, konden zij nu op inkomen uit het pgb van de zorgvrager rekenen. Een vergoeding uit het pgb zou nog tot daaraan toe zijn wanneer naasten hun eigen carrière volledig aan de kant zetten om zich haast non-stop voor de zorg van een behoeftige naaste in te zetten, maar vaker komt het voor dat elke hand die wordt uitgestoken kan rekenen op een vergoeding door de pgb-houder.

Het pgb faciliteert en financiert op deze wijze intermenselijke relaties die tot dan toe vanzelf tot stand kwamen. De mate waarin mensen nog steeds bereid zijn tot vrijwilligerswerk in hun directe omgeving, maar ook voor wildvreemden, maakt duidelijk dat overheidsingrijpen hier helemaal niet nodig was geweest. Het was beter geweest indien de politiek zich had afgevraagd waarvoor een pgb mag worden ingezet alvorens de regeling zo ruimhartig toe te kennen. Want eenmaal ingevoerde maatregelen, die door de gebruikers algauw als 'recht' worden ervaren, zijn moeilijk terug te draaien. Hoe gaat een pgb-houder aan een naaste uitleggen dat hij dezelfde hulpvraag heeft, maar geen pgb meer om voor de hand- en spandiensten te betalen? Nu deze hulp door naasten eenmaal in geld is uitgedrukt, lijkt de stap naar vrijwillige hulp een heel grote, zo niet té grote. Uiteindelijk is hier de zorgvrager de dupe van een overheid die zich vanuit de beste bedoelingen met alles wilde bemoeien.

De komende jaren zal de minister van Volksgezondheid proberen de kosten voor de AWBZ terug te draaien, onder andere door wonen en zorg te scheiden en zaken als dagbesteding en huishoudelijke hulp bij de gemeentes te leggen, die daar verantwoordelijk voor worden via de Wet maatschappelijke ondersteuning (Wmo). Bij de toekenning van het pgb zal eveneens kritischer te werk worden gegaan. In de zorg zou de eigen verantwoordelijkheid kunnen worden vergroot door het eigen risico te verhogen, verder dan het kabinet nu van plan is. Zo is het vreemd dat het bezoek aan de huisarts uit de basisverzekering gefinancierd blijft worden, terwijl de rekening voor zo'n bezoek betrekkelijk laag en dus te overzien is. Het huidige zogenaamd 'gratis' bezoek aan de huisarts neemt bij de zorgvrager elke prikkel weg om af te wegen of het bezoek wel echt nodig is. Volgens huisartsen is er bij zeker meer dan de helft van de consulten geen medische kwaal in het geding. Het tegenargument dat gezondheid te belangrijk is om daarvoor een eigen bijdrage te vragen, is hoogst merkwaardig. Juist omdát gezondheid belangrijk is, mag van burgers worden verwacht dat zij daar financieel het nodige voor overhebben. Het risico dat de kosten voor mensen die werkelijk iets mankeren en voor wie het huisartsbezoek bittere noodzaak is de pan uit rijzen, kan worden voorkomen door de eigen bijdrage aan een maximum te binden.

De grootste uitdaging op het gebied van sociale zekerheid ligt er voor de toekomst in om de balans tussen eigen verantwoordelijkheid en overheidssteun weer in evenwicht te brengen. Met name de sociale zekerheid op het gebied van werk en inkomen kan in de toekomst nog een forse impuls naar meer eigen verantwoordelijkheid gebruiken. Sinds 2005 wordt via de Wet Werk en Inkomen naar Arbeidsvermogen (WIA) al geprobeerd mensen die (gedeeltelijk) arbeidsongeschikt zijn zo veel mogelijk aan het werk te houden. Daarbij wordt gekeken naar wat mensen wel kunnen in plaats van alleen naar wat mensen niet meer kunnen.

Ook de oude Armenwet, die in 1963 werd omgevormd tot de Algemene Bijstandswet (ABW, later Abw) en sinds 2004 is omgedoopt tot Wet werk en bijstand (Wwb), kent inmiddels meer nadruk op terugkeer tot de arbeidsmarkt. Daar waar bijstand lange tijd een toestand was waar mensen eenmaal in geraakten en nooit meer uit ontsnapten, richten alle overheidsmaatregelen zich nu op deelname aan de samenleving, al dan niet via betaald werk. In oorsprong was de Bijstandswet ook bedoeld als vangnet voor mensen die tijdelijk niet in hun inkomen konden voorzien. Voor liberalen is het van groot belang dat dit vangnet niet verwordt tot een gevangenis zonder enig uitzicht op verbetering. De overheid moet er dan ook voor zorgen dat zij geen liefdadigheidsinstelling wordt waar mensen zonder reden naar believen een beroep op mogen doen.

Nog te vaak werken maatregelen op het gebied van sociale zekerheid averechts als het aankomt op het nemen van eigen verantwoordelijkheid. Zo zijn er maar liefst 79 aanvullende inkomensregelingen, van vrijstelling van de gemeentebelastingen tot gratis toegang tot culturele activiteiten of sporten. Met behulp van deze regelingen kunnen bijstandsgerechtigden hun inkomen fors aanvullen tot nabij of zelfs boven het minimumloon. Elke prikkel om het leven in eigen hand te nemen wordt ontnomen door de zogenaamde armoedeval die ontstaat wanneer mensen werk accepteren op bijstandsniveau. Werken moet lonen en dat kan alleen door fors te snijden in het woud aan armoederegelingen.

De Tocqueville zag bijna twee eeuwen geleden al dat te veel overheidsingrijpen averechts zou werken. Alleen door als overheid een stap terug te doen en burgers weer meer aan zet te laten kan het tij worden gekeerd. Hoewel het erg lastig is het onderscheid te maken tussen wie terecht en wie onterecht een beroep doet op sociale zekerheid, moet de overheid in elk geval een poging wagen. Laat burgers eerst zelf – al dan niet in samenwerking met anderen – naar oplossingen zoeken, alvorens een beroep te doen op het collectief.

Fleur de Beaufort en Patrick van Schie

Fleur de Beaufort en Patrick van Schie zijn historici en respectievelijk wetenschappelijk medewerkster en directeur van de Prof. mr. B.M. Teldersstichting, het onafhankelijke wetenschappelijke bureau ten behoeve van het liberalisme, gelieerd aan de VVD.

Handen af van de verzorgingsstaat

Nederland als verzorgingsstaat staat onder druk. Vadertje Staat, die garant staat voor het welzijn van zijn burgers, is in de voorbije decennia steeds meer onderhevig aan kritiek van mensen die vinden dat het welzijn van de burgers vooral de verantwoordelijkheid van die burgers zelf is. Wie niet voor zichzelf kan zorgen, zal zelf de zorg georganiseerd moeten zien te krijgen, maar moet niet rekenen op verzorging door de staat. Daarmee lijkt het belang van de zwaksten het te verliezen van het recht van de sterksten. Natuurlijk zijn er mensen die goed voor zichzelf kunnen zorgen, maar mensen die dat niet kunnen, mogen niet voor de voor hen vaak onmogelijke opgave gesteld worden hun lot in eigen hand te nemen.

De opkomst van de verzorgingsstaat in de negentiende eeuw was een duidelijke reactie op het vrijemarktdenken dat sinds het begin van de industriële revolutie naar voren kwam en terug te vinden is bijvoorbeeld in Adam Smiths *An Inquiry into the Nature and Causes of the Wealth of Nations*. Eigenbelang versus liefdadigheid leidde tot een paradox die vroeg om overheidsingrijpen, dat ook mogelijk werd gemaakt door een toenemende welvaart. Er werden sociale vangnetten gevormd, deels via niet-commerciële verzekeringsvormen, deels via staatsvoorzieningen die voorzagen in het compenseren van marktfalen of in elk geval ethiek toevoegden aan een marktwerking die niet in alle noden kon voorzien.

De grote armoede na de grote depressie en de Tweede Wereldoorlog, die gepaard ging met enorme ontberingen, zorgde voor het ontstaan van een zorgzame overheid, die waakte over het welzijn van haar burgers, zeker in gevallen waarin die burgers tussen wal en schip dreigden te raken buiten hun eigen schuld of invloed. Publieke gezondheidszorg, een goede oudedagsvoorziening, deugdelijk onderwijs voor iedereen, een vangnet voor wie werkloos werd of arbeidsongeschikt, een voorziening voor weduwen en wezen: het werden vanzelfsprekendheden die niet alleen voortkwamen uit toenemende welvaart, maar ook uit de natuurlijke behoefte van solidariteit en saamhorigheid.

De opbouw van een dergelijk stelsel heeft veel tijd en geld gekost, en het heeft internationaal grote waardering en bewondering geoogst. Maar de indruk ontstond dat het stelsel onbetaalbaar zou worden en daarnaast door de tijd zou worden ingehaald. De samenleving werd in de afgelopen decennia op neoliberale leest gereorganiseerd via marktwerking, deregulering en wetgeving. De terugtredende overheid regelde wat absoluut noodzakelijk was, maar liet de rest het liefst aan de markt en particulier initiatief over.

De eerste beperkte analyse van de effecten van de marktwerking kwam via een recent parlementair onderzoek in de Eerste Kamer, waaruit duidelijk werd dat veel van wat de marktwerking had beloofd, geen werkelijkheid is geworden. De kosten van de verzorgingsstaat zijn eerder meer dan minder onbeheersbaar geworden, zorgverleners raakten hun zekerheden kwijt, een proces dat nog steeds voortwoekert. Wie afhankelijk is van de geboden voorzieningen, ziet oude zekerheden en vanzelfsprekendheden wegvallen of vervagen. Alles wat geregeld was, lijkt ontregeld te worden door het proces van deregulering en een terugtredende overheid. De commerciële solidariteit wordt nog onbetaalbaarder dan de op overheidsleest geschoeide solidariteit ooit geweest is.

De Partij voor de Dieren is tegenstander van privatisering, schaalvergroting en concurrentiemechanismen in de zorg. Schaalvergroting haalt het persoonlijke element uit de zorg en schept afstand tussen zorgvrager en zorgverlener.

De bezuiniging van meer dan twee miljard euro in de ouderenzorg is inherent aan het neoliberale denken en zal naar verwachting tot honderdduizend ontslagen in de thuiszorg leiden, een veelvoud van het aantal ontslagen ten gevolge van de mijnsluitingen, wat destijds al als een ramp van nationale omvang werd gezien. Voor de ontslagen medewerkers in de thuiszorg zal gelden dat niet alleen zij gedupeerd zullen worden door deze bezuinigingen, maar vooral ook de mensen die van hun zorg afhankelijk zijn. In de somberste scenario's wordt rekening gehouden met ontslag van twee van elke drie thuiszorgers. Dit zal directe gevolgen hebben voor drie- à vierhonderdduizend cliënten, die afhankelijk worden van mantelzorg, voor zover voorhanden. Wanneer we de familieleden van de gedupeerde zorgbehoevenden meerekenen, zullen een à twee miljoen mensen direct worden geraakt door deze bezuinigingsmaatregelen, die wat ons betreft op geen enkele wijze te rechtvaardigen zijn.

Overheveling van de persoonlijke verzorging en begeleiding van de AWBZ naar de Wmo (Wet maatschappelijke ondersteuning) zal tot gevolg hebben dat mensen het recht op deze vormen van zorg kwijtraken. Veel cliënten zijn zich nog nauwelijks bewust van de dreiging die hun boven het hoofd hangt en die van zodanige draconische proporties is dat velen niet zullen kunnen geloven dat de overheid dit binnen afzienbare termijn van plan is. De omvorming tot een gemeentelijke voorziening in plaats van een wette-

lijk recht in de AWBZ zal zorgbehoevenden direct afhankelijk maken van het beleid en de mogelijkheden van de gemeente waarin ze wonen. Omdat de gemeentes aanzienlijk
minder budget beschikbaar hebben dan in de huidige regeling het geval is, kunnen we verwachten dat er strengere
eisen zullen worden gesteld aan indicaties voor begeleiding
en persoonlijke verzorging, waardoor de zorg vergaand zal
verschralen – een kaasschaafmethode die leidt tot ernstige
schaafwonden bij de zwaksten in onze samenleving. Hulpbehoevenden met midden- en hogere inkomens zullen
zelf moeten gaan betalen voor hun zorg, waardoor naar verwachting vele duizenden thuishulpen hun werk zullen
verliezen en een beroep zullen moeten doen op een werkloosheidsuitkering. Ook het schrappen van de dagbesteding vormt een directe verschraling van de zorg en zal re-
sulteren in werkloosheid van de betrokken medewerkers.
Het beleid op dit punt bevat ook vergaande inconsistenties.
Immers, een kabinet dat enerzijds inzet op het zo lang
mogelijk thuis laten wonen van ouderen, maar dat thuis
wonen de facto onmogelijk maakt door het verschralen van
de zorg, wekt de indruk het eigen beleid te dwarsbomen,
terwijl het uitgangspunt van kostenbesparing maar zeer
ten dele gerealiseerd kan en zal worden.

Het tempo waarin het voorstel tot inkomensafhankelijke zorgpremie onder druk van een electorale opstand
werd ingetrokken, geeft aan hoezeer het kortetermijn-
belang van de regeringspartijen prevaleert boven het lan-
getermijnbelang van de zorgbehoevende burger. Het af-
bouwen van de AWBZ voor ouderen en de beperking van
voorzieningen voor gehandicapten maken duidelijk dat
het kabinet er niet voor terugschrikt om de zwaarste lasten
op de schouders met de minste draagkracht te leggen.

Diederik Samsom, de politiek leider van de PvdA, be-
loofde in de aanloop naar de verkiezingen tijdens een de-

monstratie op het Malieveld werknemers van de sociale werkplaatsen het volgende: 'Draaien we deze bezuinigingen terug? Ja, natuurlijk doen we dat! In ieder geval zorg ik ervoor dat jullie je werk houden!'

Het is ronduit wrang nu te moeten constateren dat die belofte uitmondt in ontslag van zeventig- van de honderdduizend werknemers van sociale werkplaatsen, opnieuw het dubbele van de sociale ramp die de sluiting van de mijnen meebracht. En dat naast de te verwachten ontslagen in de thuiszorg!

Samsom mag dan beweren dat dit gecompenseerd wordt via een verplichting voor bedrijven om ten minste vijf procent werknemers met een arbeidshandicap in dienst te hebben (zijn fractiespecialist beweert zelfs dat tegenover de zeventigduizend verdwijnende banen bij de sociale werkplaatsen honderdduizend nieuwe banen in bedrijven zouden staan), maar de praktijk leert dat coalitiepartner VVD nu al grote bezwaren heeft tegen die vijf procent en alles doet om dat percentage terug te schroeven. Bovendien wordt voorbijgegaan aan het feit dat arbeidsgehandicapten die nu al in bedrijven werkzaam zijn onderdeel zullen vormen van het quotum, waarmee de uitwerking van het voorgestelde beleid uiterst onzeker wordt.

Insiders in de zorg waarschuwen dat door de verschraling het gevaar van vereenzaming, verwaarlozing en vervuiling sterk toeneemt en de calamiteiten die daaruit voortvloeien niet alleen voor persoonlijke drama's zullen zorgen, maar mogelijk ook tot hogere zorgkosten zullen leiden. Een dramatische verslechtering van de zorg voor kwetsbare groepen waarvan het nog maar zeer de vraag is welke bezuiniging daarvan uiteindelijk te verwachten is. Het terugsnoeien van de AWBZ tot instellingszorg voor zware gevallen betekent dat de lichtere zorg afhankelijk wordt van de eigen mogelijkheden van zorgbehoevenden, ook in financiële zin. De oplossing zal worden gezocht en gevonden in het inhuren van goedkoper, minder goed opgeleid personeel met minder ervaring. Dat betekent dat goed opgeleide, ervaren medewerkers als gevolg van de maatregelen werkloos thuis zullen zitten (of ze zullen tegen een aanmerkelijk lager salaris opnieuw worden ingehuurd), terwijl slechter gekwalificeerd goedkoper personeel hun werk overneemt. Een situatie die vergelijkbaar is met de postmarkt, waar de postkantoren en de postbode werden wegbezuinigd en het werk werd overgedragen aan slecht betaalde, minder gekwalificeerde deeltijdwerkers, met alle gevolgen van dien voor de dienstverlening. Waar banken zoals SNS zonder slag of stoot 3,7 miljard euro krijgen om hun redding mogelijk te maken, omdat ze *too big to fail* zouden zijn, is een kleiner bedrag om de verzorgingsstaat op orde te houden niet beschikbaar. Kennelijk zijn de gedupeerden zwak genoeg om ze aan hun lot over te laten zonder dat gevreesd moet worden voor grote gevolgen in de vorm van een opstand van kiezers. Slechts een forse opmars van een belangenpartij als 50PLUS zou daarin verandering kunnen brengen. Minder zorg zal verder betekenen dat capaciteit in de zorg onbenut zal blijven, waardoor zorginstellingen het nog zwaarder zullen krijgen dan ze het nu al hebben.

De AWBZ, ooit een trots onderdeel van onze verzorgingsstaat als vangnet voor zorg die we allemaal nodig zouden kunnen krijgen, wordt nu opgeofferd ten behoeve van een ordinaire bezuinigingsmaatregel met niet te voorziene gevolgen. De negatieve effecten van toegenomen werkdruk, bureaucratie, fraude en kostbare bestuurslagen op de AWBZ worden niet gezien als aanleiding om de problemen op te lossen, maar vormen slechts het motief voor een kille sanering.

Als de hulpvrager weer centraal zou komen te staan, kan

de zorg op hen worden toegesneden. Niet vanuit bureau-cratische, onpersoonlijke instellingen, die het verlenen van de beste vorm van zorg niet per definitie als uitgangspunt hebben, maar vanuit kleinschalige, gedecentraliseerde zorg waarvan het niet de vraag zou moeten zijn of we die kunnen betalen, maar of we het ons kunnen veroorloven hem niet te verstrekken. Zorginstellingen die met elkaar con-curreren om de gunst van de patiënt en de zorgverzeke-raars, hebben het daarmee drukker dan met het verlenen van adequate zorg. Waar grootschaligheid in het onderwijs niet de gewenste oplossingen heeft gebracht, mag ook niet worden verwacht dat grootschaligheid in de zorg ook maar iets van de gewenste verbeteringen of efficiencyslagen zou kunnen opleveren.

Ooit was de pgb-regeling bedoeld om mensen die een specifieke zorgbehoefte hadden in de gelegenheid te stel-len daar zelf voorzieningen voor te treffen op een wijze die kosteneffectief is en zelfredzaamheid bevordert. Het vergemakkelijkte hun vaak zware omstandigheden echter niet, maar het werd voor pgb-houders steeds moeilijker de regie over hun eigen leven te voeren, waardoor ze zich ge-noodzaakt zagen hulp in te roepen van gespecialiseerde bureaus om zich de bureaucratie van de overheid van het lijf te houden. Pgb-fraude wordt in de regel niet gepleegd door gehandicapten die zelf hun zorg regelen, maar door bemid-delingsbureaus die als paddenstoelen uit de grond schoten. Die bureaus worden meestal niet gerund door mensen met een bijzondere compassie voor gehandicapten, maar door mensen die daarin een mogelijkheid zagen om een goede boterham te verdienen, wat het gevaar van fraude in de hand werkt. De overheid trekt de komende twee jaar 30 miljoen euro uit om de pgb-fraude te bestrijden. Vraag is of dit enorme bedrag niet uitgespaard zou kunnen worden als de pgb-regeling zo eenvoudig wordt gemaakt als ze oorspronkelijk was. Mensen met handicaps mogen niet langer afhankelijk zijn van (veelal malafide) bemiddelings-bureaus.

Maak het pgb zo simpel en transparant dat er geen be-middelingsbureaus nodig zijn, en dat het aanvragen en het verantwoorden ervan gewoon door de hulpvrager zelf en/of zijn verwanten kan worden gedaan. Partijen als de VVD, die zegt op te komen voor de eigen verantwoordelijk-heid en het particulier initiatief, en de Partij van de Arbeid, die zegt een sterke en sociale samenleving voor te staan, kunnen onmogelijk volhouden dat het kostbare en bureau-cratische systeem van dit moment is veroorzaakt door de hulpvragers, of dat het hebben van een handicap het plegen van fraude in de hand zou werken. Daarentegen is er een groot tekort aan werkelijke betrokkenheid bij bestuurders in de zorg en verantwoordelijken in de politiek, waardoor de kosten uit de hand lopen, de ontevredenheid bij alle betrokkenen groeit en de onmacht van hulpbehoevenden hand over hand toeneemt. De salarissen die bestuurders in de zorg toucheren, zeggen meer over de problemen in de zorg dan over de kwaliteit van die bestuurslagen.

Een samenleving die meent zich de zorg voor de aller-zwaksten niet meer te kunnen veroorloven, is dringend aan herijking toe. Kennelijk is geld zozeer een uitgangs-punt in ons denken geworden, dat het de ultieme maatstaf is geworden in de wijze waarop wij met hulpbehoevenden om menen te kunnen gaan. Het afschrikwekkende voor-beeld van de zorg in een land als de Verenigde Staten, waar zorg een particuliere verantwoordelijkheid is, ook voor mensen die die verantwoordelijkheid niet kunnen dragen, schrikt ons in een samenleving waarin het persoonlijke belang het lijkt te winnen van het collectieve belang van solidariteit en saamhorigheid, blijkbaar niet meer voldoen-de af.

De politiek columnist Marc Chavannes schreef op 19 mei 2012 in *NRC Handelsblad*: 'Zolang we accepteren dat alle zorgen en verlangens in geld zijn uit te drukken, zitten we gevangen in eenzijdig economische logica.'

We hebben te maken met ernstige allocatieproblemen als we kampen met een snel oplopend werkloosheidspercentage van ruim zeven procent van de beroepsbevolking, maar tegelijk moeten vaststellen dat een toenemend aantal taken onvervuld blijft. Hoe kan een overheid het verantwoorden dat bijna 600.000 mensen werkloos aan de kant staan, terwijl een toenemend aantal mensen het moet stellen zonder adequate zorg?

De desinteresse en het onvermogen van politici om de verzorgingsstaat overeind te houden wordt pijnlijk duidelijk in de gang van zaken rond de AOW. Geen enkele coalitiepartij had haar kiezers een verhoging van de AOW-leeftijd in het vooruitzicht gesteld. De crisis kwam als een geschenk uit de hemel om de schuld op af te kunnen schuiven, hoewel de verhoging van de AOW-leeftijd niets met de crisis te maken heeft en ook niets aan de crisis gaat oplossen. Het AOW-probleem in relatie tot de vergrijzingsgolf was volgens eerdere beloften aan de burgers al lang door de zittende politiek opgelost. In 1990 werd op voorspraak van de PvdA'er Jan van Zijl een AOW-fonds opgericht dat vanaf 2020 tot uitkering zou komen om de gevolgen van de vergrijzing op te vangen. Toen dachten we nog dat regeren vooruitzien was. De Partij van de Arbeid had toen nog 49 Kamerzetels, en dat had onder andere te maken met het feit dat veel kiezers de PvdA associeerden met vader Drees en diens bemoeienis met, jawel, de AOW.

Tijdens het Tweede paarse kabinet (1998-2002) kreeg het AOW-spaarfonds van Jan van Zijl kracht van wet. Dit spaarfonds, zo luidde het verhaal, zou tot 2020 door een jaarlijkse storting uit de algemene middelen worden gevuld en na 2020 weer stapsgewijs worden leeggehaald om de kosten van de vergrijzing te betalen. Daarmee was het vergrijzingsprobleem opgelost. De politiek nam haar verantwoordelijkheid voor de komende vergrijzingsgolf. Wie in 2005 op zoek ging naar dit AOW-spaarfonds kwam terecht op de site van het ministerie van Financiën. In de Miljoenennota 2004 stond het naast de andere zeven begrotingsfondsen. In 2005 wordt er niets aan het fonds onttrokken en doet het ministerie van Sociale Zaken een storting zodat het AOW-fonds eind dat jaar 23 miljard euro bevat. Hoe solide wilt u het hebben?

Maar het AOW-fonds bleek een politieke leugen, waaruit het kiezersbedrog van vandaag voortkomt. Want het AOW-fonds bleek een virtueel fonds waarin op papier miljarden werden gespaard, maar waar in werkelijkheid niets in werd gestort. Dáárom zullen we moeten werken tot ons zevenenzestigste en misschien langer. Eerder bedacht de politiek al het omslagstelsel in de AOW. Dat bepaalde dat uitkeringen betaald zouden worden uit lopende premieinkomsten. Ponzi-fraude verkocht als solidariteit. Als er van het begin af aan deugdelijke reserves waren aangelegd, dan zou er geen vuiltje aan de lucht zijn geweest.

Het wordt steeds duidelijker dat het vermeende onbetaalbaar worden van de verzorgingsstaat niet wordt veroorzaakt door onvoorziene demografische natuurverschijnselen, maar door een gebrek aan visie en inlevingsvermogen bij politici, die steeds vaker te maken hebben met een horizon van maximaal twee jaar voor hun herverkiezing en daar ook naar handelen. Kortzichtigheid, compromisvorming en een gebrek aan empathie hebben gezorgd voor een stelsel dat geen geld heeft om fatsoenlijke zorg te verlenen aan mensen die dat werkelijk nodig hebben. Wel vloeien er enorme bedragen weg naar bureaucratie en niet te verantwoorden salarissen in bestuurslagen. Wat we samen niet op een adequate wijze menen te kunnen organiseren wordt overgelaten aan de markt, met alle negatieve ervaringen van dien. Bovendien wordt het stelsel steeds onbetaalbaarder, waardoor de zorg steeds verder verschraalt, het aantal werklozen verder oploopt, de zorgbehoefte kunstmatig wordt vergroot, terwijl de zorgverlening wordt beperkt. Geprivatiseerde zorginstellingen met winstoogmerk zouden wel datgene kunnen leveren waarvan we moeten vaststellen dat de overheid dat zelf niet kan.

De overheid verschaft zichzelf zo in meerdere opzichten een brevet van onvermogen. Waarom zouden we nu niet meer kunnen wat we vroeger wel konden? En welke reden hebben we om aan te nemen dat de vrije markt die oplossing tegen lagere kosten wel kan bieden en met een gelijkwaardige of betere kwaliteit?

We kunnen onmogelijk aannemen dat de positie van de honderdduizend mensen die op de nominatie staan om ontslagen te worden in de thuiszorg en van de zeventigduizend in de sociale werkplaatsen er beter op zal worden in een nieuwe situatie, ook al willen sommige politici ons dat doen geloven. We zijn zo afhankelijk geworden van onze groei- en schuldverslaving dat het bieden van adequate zorg binnen een solidair systeem een blinde vlek is geworden in onze samenleving. Solidariteit wordt vertaald naar het solidair zijn met de zuidelijke lidstaten van de Europese Unie, die via een gemeenschappelijke munt en onverantwoorde schuldenposities handelingsonbekwaam zijn geworden en nu, in ruil voor het steeds verder afstaan van hun soevereiniteit, een beroep kunnen doen op de overheidsfinanciën van de noordelijke staten, die daarmee hun eigen verzorgingsstaat niet langer op orde kunnen houden.

Er is een direct verband tussen de bodemloze put die Brussel heeft veroorzaakt door de overhaaste invoering van een gemeenschappelijke munt in landen met een volledig ander economisch temperament, een onvergelijkbare economische ontwikkelingsfase en een zeer uiteenlopende belastingmoraal. Het uit handen slaan van eigen monetaire instrumenten binnen die lidstaten heeft ervoor gezorgd dat de Nederlandse overheidsfinanciën via de wet van de communicerende vaten naar het laagste punt binnen de EU stromen. Daardoor moeten wij in Nederland een discussie voeren over de houdbaarheid van onze verzorgingsstaat. Onder het mom van Europese solidariteit kunnen we zelf geen solidariteit meer bieden aan de zwaksten in onze eigen samenleving.

Dat beleid leidt tot grote onvrede binnen en tussen de Europese lidstaten en hun bevolking. Landen met een jeugdwerkloosheid van meer dan zestig procent zoals Spanje, vormen een tikkende tijdbom onder alles wat onder de noemer saamhorigheid valt. Zeker, op korte termijn kunnen we de verarming van zuidelijke Europese lidstaten aanwenden om voor relatief weinig geld meer handen aan het bed te importeren, maar die vreugde zal slechts van korte duur blijken.

De ernstige sociale onrust die ons te wachten staat als gevolg van politieke kortzichtigheid is een wegbereider voor populisme en andere vormen van destabilisatie die te voorkomen waren geweest zonder het grootste monetaire experiment uit de geschiedenis. Inmiddels lijkt dat experiment tot mislukken gedoemd.

Onze verzorgingsstaat was het resultaat van saamhorigheid in een periode van wederopbouw. De afbraak van dit moment staat daarmee in schril contrast. Mededogen en duurzaamheid zouden weer uitgangspunt van beleid moeten worden, evenals het stimuleren en waarborgen van persoonlijke vrijheid en verantwoordelijkheid van alle burgers, ook voor hen die zorg en aandacht behoeven. Dat zouden we moeten opvatten als een collectieve verantwoordelijkheid, in plaats van het te zien als een 'gat in de markt'.

Hieronder staan enkele oplossingen die wij willen voordragen als oplossing van de nu ontstane situatie van het onbetaalbaar worden van onze verzorgingsstaat:

– Geef hulpbehoevenden weer de regie over hun eigen leven, sluit commerciële bemiddelingsbureaus uit.

– Stel een gemeentelijke ombudsambtenaar aan voor gevallen waarin hulpbehoevenden niet in staat zijn de regie over hun eigen zorg te voeren.

– Maak het pgb simpel en transparant, met alle ruimte voor betaalde mantelzorg.

– Overweeg een sociale dienstplicht die volgt op het eerste halfjaar van werkloosheid, zodat de allocatieproblemen van enerzijds grote aantallen werklozen en anderzijds onvervulde zorgvragen kunnen worden weggenomen.

– Deprivatiseer de zorg en maak die kleinschalig en regionaal.

– Geef burgers inzicht in de voor hen gemaakte zorgkosten en geef advies op maat hoe die kosten beter beheersbaar kunnen worden gemaakt.

– Overweeg burgers een persoonlijk zorgbudget te geven, waarvan een deel gespaard kan worden voor de oude dag als er nu geen gebruik van wordt gemaakt.

– Stimuleer zorgsparen voor de oude dag met een fiscaal aantrekkelijke regeling, vergelijkbaar met het banksparen, op voorwaarde dat het geld alleen mag worden opgenomen ten behoeve van zorginkoop en oudedagsvoorzieningen.

– Geef werknemers meer vrijheid hun oudedagsvoorziening en (aanvullende) zorgverzekering via een voorziening in eigen beheer te regelen.

– Leg een zwaar accent op het stimuleren van preventieve gezondheidszorg, via voorlichting, prijsprikkels in de zorgverzekering en lesprogramma's op scholen.

- Betrek jongeren meer bij de zorg voor ouderen via maatschappelijke stages.
- Maak de publieke verantwoording van het door politieke partijen voorgestane zorgbeleid transparant via afrekenbare doelstellingen en een onafhankelijke doorrekening.

Karen Soeters

De auteur is directeur van de Nicolaas. G. Pierson Foundation, het wetenschappelijk bureau van de Partij voor de Dieren.

AOW

Wetenschappelijk Instituut CDA
Wetenschappelijk Bureau (i.o.) 50PLUS

Gerechtigheid, verantwoordelijkheid, rentmeesterschap en solidariteit

De verzorgingsstaat is een wat achterhaalde term in het gedachtegoed van de christendemocratie. In de term 'verzorgingsstaat' klinkt te veel de gedachte door dat er een overheid is die van de wieg tot het graf voor je zorgt. Alsof je als mens bestaat bij gratie van de overheid.

Al in 1983 publiceerde het CDA een rapport dat een kentering in het denken duidelijk maakt. In het rapport *Van verzorgingsstaat naar verzorgingsmaatschappij* wordt paal en perk gesteld aan de gedachte van een onbegrensd optreden van de overheid. Aan het rapport lag een analyse ten grondslag van de maatschappelijke ontwikkelingen in de voorafgaande twintig jaar. Het rapport benoemt drie overheidstaken. Ten eerste het handhaven van de rechtsorde. Ten tweede het garanderen van materiële en immateriële bodems van bestaan. Ten derde moet de overheid zorg dragen 'voor een sociale infrastructuur waarbinnen de verantwoordelijkheden van de burgers en hun maatschappelijke verbanden worden geprikkeld en beschermd'. In 1987 kwam het CDA met een vervolgnota. In *Over de verantwoordelijke samenleving* richt men zich op de instrumentele kant van het vraagstuk van de inrichting van de samenleving. In de kern komt het erop neer dat in een christendemocratische visie op de samenleving wordt uitgegaan van een grote verantwoordelijkheid voor de burger en zijn maatschappelijke verbanden.

Het antwoord op sociale risico's wordt dan ook in eerste instantie gegeven vanuit de gedachte welke verantwoordelijkheden burgers en hun verbanden zelf kunnen dragen. Faciliterend en aanvullend zijn daarbij de taken van de overheid. Willen burgers en hun verbanden die verantwoordelijkheden goed kunnen invullen, dan dient de overheid overzichtelijke regelgeving te ontwerpen.

De gedachte van de verantwoordelijke samenleving is voor het CDA een ankerpunt. In de jaren negentig is hieraan vormgegeven in de participatiemaatschappij. Verantwoordelijkheid in de samenleving kan alleen worden gedragen als iedereen meedoet en zich inzet voor de samenleving naar zijn of haar vermogen. De sociale zekerheid moet gericht zijn op activeren. Iedereen doet mee, opdat wie echt niet kan, verzorgd kan worden.

Deze visie op de sociale zekerheid hangt samen met het mensbeeld in de christendemocratie. De christendemocratie ziet de mens als sociaal wezen dat geroepen wordt om samen met anderen je naaste en jezelf tot ontplooiing te laten komen. Daarbij horen begrippen als roeping, relaties en maatschappelijk engagement. En ook kwetsbaarheid: de mens is kwetsbaar en krijgt te maken met risico's als werkloosheid, arbeidsongeschiktheid en ouderdom. Die horen enerzijds bij het leven, maar soms zijn die risico's zo groot dat de mens ze niet alleen kan dragen. Relaties worden geblokkeerd, waardoor men niet kan werken aan het verlangen, aanwezig in ieder mens, naar een rechtvaardige samenleving. De christendemocratie ziet de kwetsbaarheid van de mens. Zij ziet de verschillende sociale risico's die zich voor kunnen doen. Om die verschillende risico's het hoofd te kunnen bieden zoeken we de kracht in de burgers en hun verbanden. Om die burgers in staat te stellen dat goed te doen dienen verantwoordelijkheden helder te worden bepaald, dienen regels eenvoudig en helder te zijn en dient vanuit het systeem een activerend appèl uit te gaan.

De sociale zekerheid moet activerend en eenvoudig zijn. Om de sociale zekerheid in te richten zijn vier kernwaarden voor het CDA van belang: publieke gerechtigheid, gespreide verantwoordelijkheid, rentmeesterschap en solidariteit. Deze kernwaarden komen terug in onze visie op de sociale zekerheid. Het zijn waarden die niet zorgen voor een kant-en-klare blauwdruk van het stelsel, maar die telkens tegen dat sociale stelsel aan moeten worden gehouden. In de *vormgeving* van het stelsel van sociale zekerheid heeft de notie van gespreide verantwoordelijkheid een centrale plaats. De inrichting van het stelsel moet maximaal recht doen aan de onderscheiden verantwoordelijkheden van burgers, hun verbanden en de overheid. In eerste instantie betekent dit begrip dat aan de burger wordt gevraagd niet nodeloos een beroep te doen op sociale voorzieningen. Meedoen moet te verkiezen zijn boven niet meedoen.

De sociale partners en bedrijven zijn de verbanden waarin burgers zich in dit domein verenigen. Zij zijn verantwoordelijk voor organisatie, inrichting en financiering van inkomensgerelateerde sociale zekerheid in het arbeidsvoorwaardenoverleg. Met betrekking tot de *financiering* spelen begrippen als solidariteit en rentmeesterschap een rol. Het vraagt om een stelsel dat solidair is, maar tegelijkertijd duurzaam. Risico's moeten worden gedeeld, maar voorkomen moet worden dat dit leidt tot moreel wangedrag of selectie waardoor mensen met een groot risico worden buitengesloten. Christendemocraten leggen veel nadruk op de toedeling van risico's op het cao- of bedrijfsniveau. Daar kunnen afwegingen worden gemaakt die ervoor zorgen dat de bron van financiering, de organisatie waar men werkt, niet wordt beschadigd en tegelijkertijd dat men solidair is met mensen die hun bijdrage hebben geleverd, maar daartoe niet meer in staat zijn. Daarom is betrokkenheid bij het beheer van pensioengelden en scholingsfondsen van sociale partners ook gewenst. Zij maken afspraken over pensioenen en scholing in cao's. Door het beheer van de gelden wordt men verantwoordelijk gemaakt, zodat men geen beloften doet die men zelf niet waar kan maken.

De overheid ten slotte, schept waarborgen als noodzakelijke basis van bestaan. Het gaat dan om een overheid die een *aanvullende* rol heeft. Een overheid als partner van burgers en verbanden die betrouwbaar is. Die aanvullende rol zien we bijvoorbeeld terug in de bijstandsregeling als de burger nergens meer op terug kan vallen. De overheid heeft als rol om de burger zo spoedig mogelijk in zijn kracht te herstellen en te kijken naar wat hij bij kan dragen. Het gaat hier om publieke gerechtigheid voor degenen die te kwetsbaar zijn om op eigen kracht nog iets te kunnen bijdragen.

Het Nederlandse pensioenstelsel, met zijn drie pijlers en zijn verantwoordelijkheidsdeling, is een ideaaltypisch voorbeeld van het sociale stelsel zoals christendemocraten dat voor ogen staat. In elk van de pijlers is de verantwoordelijkheid van burger, zijn verbanden en overheid goed gedefinieerd. In de eerste pijler, de AOW, ligt de verantwoordelijkheid met name bij de overheid. Voor de aanvullende pensioenen, de tweede pijler, zijn sociale partners verantwoordelijk. In de derde pijler – denk aan spaarproducten als lijfrente – ligt de nadruk bij de burger.

Met een scherpe verantwoordelijkheidsverdeling binnen de sociale zekerheid is niet alles geregeld. De sociale zekerheid dient erop gericht te zijn dat mensen gaan meedoen. Door mee te doen is de mens het beste in staat zich te ontplooien, daadwerkelijk mens te zijn. Tegen die achtergrond moeten ook de recente hervormingen in de sociale zekerheid worden bezien. In de sociale zekerheid stond na

de Tweede Wereldoorlog tot de jaren zeventig inkomensbescherming centraal. Vanaf het begin van dit millennium
is het systeem zo ingericht dat de burger zelf wordt aangesproken op wat hij of zij kan om weer mee te doen.

De hervorming van de arbeidsongeschiktheidsregelingen heeft plaatsgevonden in het tweede kabinet-
Balkenende. De Wet Arbeidsongeschiktheidsverzekering
(WAO) was een wet waarin de inkomensbescherming centraal stond. Nederland kende daardoor een van de hoogste
arbeidsongeschiktheidspercentages van de OESO (Organisatie voor Economische Samenwerking en Ontwikkeling).
In 2006 is deze wet omgevormd naar de Wet Werk en Inkomen naar Arbeidsvermogen (WIA). Daarin staat centraal wat iemand nog kan in plaats van wat iemand niet
meer kan. Sinds deze paradigmawisseling is de instroom
van mensen met een arbeidsbeperking fors afgenomen.

Ook voorstellen rond de Werkloosheidswet en het ontslagrecht hebben als doelstelling de regelingen activerend
te maken. Hoge ontslagvergoedingen en een lange WW-
duur zorgen er niet voor dat mensen zo spoedig mogelijk
uit een situatie van werkloosheid naar een nieuwe baan
gaan. Door een verkorting van de WW-duur wordt de regeling weer gericht op haar oorspronkelijke doelstelling: inkomensbescherming bij baanwisseling. In 2008 bracht de
commissie-Bakker een advies uit om de arbeidsparticipatie
te vergroten. Een deel van het advies richtte zich op hervorming van de WW. De commissie adviseerde een scholings-
faciliteit en meer verantwoordelijkheden voor werkgevers.
In dat licht is het jammer dat dit kabinet de vitaliteitsregeling heeft geschrapt en vormen van eigen risico in de WW
afwijst.

Een speciaal aandachtspunt is de arbeidsmarkt voor ouderen. Deze groep heeft een langere zoekperiode nodig om
van baan te wisselen. Een van de oorzaken is dat ouderen

duurder zijn dan jongere werknemers. Dit komt door de methodiek die de hoogte van de ontslagvergoeding vaststelt, maar ook door allerlei cao-bepalingen die een oudere werknemer minder aantrekkelijk maken voor een werkgever. Belangrijk is dat oudere werknemers aantrekkelijk blijven op de arbeidsmarkt. Ze zullen dan beter geschoold moeten worden. Het invoeren van de voorgenomen vitaliteitsregeling had oudere werknemers daartoe in staat kunnen stellen. Dat gaf werknemers mogelijkheden om zich te scholen, zodat ze aantrekkelijk zouden blijven voor werkgevers.

Bijzondere aandacht moet er zijn voor de oudedagsvoorziening. Mensen bevinden zich dan in een kwetsbare positie. Daarnaast onderscheidt het ouderdomsrisico zich van risico's als werkloosheid en arbeidsongeschiktheid. De meeste Nederlanders worden oud genoeg om een beroep op de AOW te doen, terwijl de meeste Nederlanders in hun leven geen beroep op WW of WIA hoeven te doen.

Verantwoordelijkheidsverdeling, activering en eenvoud zijn ook bij de AOW essentieel. Al bij de discussie over de vormgeving van de AOW werd vanuit confessionele hoek naar voren gebracht dat het van belang is dat de regeling een rol inruimt voor de persoonlijke verantwoordelijkheid van de burger. Zo schreef Romme in 1950: 'Voor de doeltreffendheid der ouderdomsverzekering is uit het oogpunt van de opvoeding van de persoonlijke verantwoordelijkheid het echter noodzakelijk dat de verzekerde zich duidelijk bewust is, dat de middelen geput worden uit het arbeidsinkomen en dat van zijn meeverzekerden.' En het Rooms-Katholieke Centrum voor Staatkundige Vorming gaf in 1951 aan dat het bodem- of basispensioen voldoende moet zijn om in de meest dringende levensbehoeften te kunnen voorzien, maar dat voor eventuele verdergaande aanvullende voorzieningen bedrijfstakken of ondernemingen maatregelen moeten treffen. Beide gedachten hebben uiteindelijk een plek gekregen in de AOW-regeling.

De keus voor een ingezetenenstelsel en het (publieke) verzekeringskarakter maken het solidariteitsbeginsel duidelijk. Daarnaast liggen praktische overwegingen ten grondslag aan de volksverzekering. Personen met vermogen of personen die al een pensioenvoorziening hebben, worden niet van de AOW uitgesloten. Daarbij speelde de vrees voor administratieve rompslomp een belangrijke rol. Daardoor is het een volksverzekering geworden, waarop iedere oudere recht heeft, en geen werknemersverzekering met aparte regelingen voor de oude dag voor bijvoorbeeld agrariërs en ondernemers.

Vanaf de invoering van de AOW is men uitgegaan van twee grondgedachten, namelijk het verzekeren van een bodempensioen voor iedereen, en het doen van een appèl op de persoonlijke verantwoordelijkheid en op sociale partners om met hulp van aanvullende voorzieningen tot een volledige pensioenvoorziening te komen. Bij het invoeren van de AOW in 1957 was het een voorziening voor de kosten van het meest noodzakelijke levensonderhoud. Het bodempensioen, een pensioen dat voldoende was om te voorzien in het levensonderhoud, werd in 1965 verlaten. Vanaf dat moment werd de AOW-uitkering opgetrokken tot het sociaal minimum. Ondanks deze ophoging bleef de expliciete doelstelling overeind dat burgers en sociale partners de verantwoordelijkheid hebben om via aanvullende voorzieningen tot een volledige pensioenvoorziening te komen.

De eerste jaren vanaf 1957 werd de AOW volledig gefinancierd uit de geïnde AOW-premies. In 1998 werd besloten het jaarlijks stijgende premiepercentage te bevriezen op 17,9 procent (de eerste twee schijven in de inkomsten-/loonbelasting). Hierdoor ontstond vanaf 2002 een jaarlijks oplopend tekort, dat uit de algemene middelen wordt aangevuld. Door de vergrijzing moeten er elk jaar meer belastingopbrengsten worden gebruikt om het tekort aan te vullen. Op dit moment bedraagt het tekort ruim twintig procent van het totaal van de AOW-uitkeringen.

De wijze waarop de AOW is ingericht, voldoet aan de verantwoordelijkheidsverdeling zoals christendemocraten die beogen, met een rol voor de burger, zijn (maatschappelijke) verbanden en de overheid. Een belangrijk doel destijds was om de armoede onder ouderen te verminderen. Hoe heeft de inkomenspositie van ouderen zich ontwikkeld? Hierboven zagen we dat in 1965 de AOW werd opgetrokken tot het sociaal minimum. Sindsdien is de koopkracht van de AOW verdubbeld (figuur 1).

Figuur 1
Index 1966 = 100

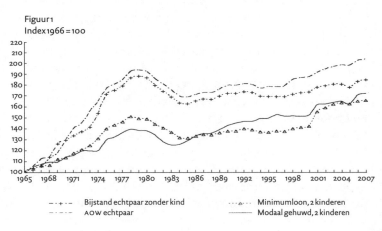

— · + · — Bijstand echtpaar zonder kind   · · · ▲ · · · Minimumloon, 2 kinderen
— · — · — AOW echtpaar   ———— Modaal gehuwd, 2 kinderen

Bron: SZW (2006)

Deze inkomensontwikkeling heeft echter niet alleen te maken met de AOW. Sinds de oorlog nam het belang van de tweede pijler voor het inkomen van ouderen toe. Het aanvullende pensioen benadert intussen als aandeel van het inkomen de AOW (zie tabel 1). Verklaringen voor dit stijgende aandeel zijn de toegenomen arbeidsparticipatie van met name vrouwen, de ontwikkeling dat steeds meer mensen onder een pensioenregeling vallen en het gegeven dat de incidentele looncomponent bij aanvullende pensioenen wel wordt meegenomen. Het aandeel werknemers in een aanvullende pensioenregeling is toegenomen van ongeveer twintig procent in 1950 tot negentig procent in 2010. Doordat zowel sociale partners als overheid hun verantwoordelijkheden hebben ingevuld is in 2012 het aandeel arme ouderen (3,5 procent) minder dan de helft van dat in de totale bevolking (7,9 procent).[1] Uit deze cijfers blijkt het belang van een sterke tweede pijler om armoede tegen te gaan.

Tabel 1: Opbouw van het persoonlijk besteedbaar inkomen van ouderen (1990-2010)

	1990	2000(n)	2010
AOW	51	48	45
Aanvullend pensioen	25	34	39
Overig	23	18	16
Totaal bruto-inkomen	100	100	100

Bron: SCP (2012)

Ondanks deze constatering zijn er enkele vraagstukken rond de AOW die moeten worden opgelost om de regeling toekomstbestendig te houden. Die oplossing wordt gezocht in het vereenvoudigen en activeren van de AOW.
- *Vereenvoudig en maak de AOW robuuster.* De AOW dient terug te keren naar de oorsprong, de eenvoud van de AOW. Om de inkomenspositie van ouderen te beïnvloeden heeft de overheid niet alleen de beschikking over de AOW. Naast deze regeling zijn er fiscale

maatregelen zoals de (aanvullende) ouderenkorting. Bovendien is er nog MKOB, de Wet mogelijkheid koopkrachttegemoetkoming oudere belastingplichtigen. 65-plussers, die in Nederland belasting betalen, krijgen via deze wet compensatie voor hun koopkrachtvermindering. Verder zijn er aparte regelingen voor 65-plussers, zoals de Wet tegemoetkoming chronisch zieken en gehandicapten. Deze veelheid aan maatregelen ondermijnt de eenvoud en zorgt voor veel bureaucratische rompslomp. De oorzaak van al die maatregelen is dat Nederland een fiscaal stelsel kent met relatief hoge belastingpercentages. Om de gevolgen daarvan op te vangen zijn er allerlei fiscale maatregelen, heffingskortingen en andere compensatiemaatregelen. De belastingdruk is daardoor in Nederland vergelijkbaar met die in de ons omringende landen, maar het fiscaal stelsel is wel complex georganiseerd. Het CDA is een groot voorstander van een eenvoudig en activerend fiscaal stelsel met lagere percentages, waardoor allerlei heffingskortingen minder noodzakelijk worden. Daarnaast kan het stelsel worden vereenvoudigd door de MKOB onder te brengen in de AOW, ook om daarmee het verzekeringskarakter van de AOW te versterken.

– *Koppel het aan de levensverwachting.* Hiermee zijn we aangekomen bij de belangrijkste politieke uitdaging met betrekking tot de AOW: de betaalbaarheid. De kosten van de AOW stijgen van 5,4 naar 8,5 procent bbp tussen 2015 en 2040. Hierboven is al aangegeven dat de premie van 17,9 procent niet voldoende is om de AOW-uitgaven te dekken. De kosten die gepaard gaan met ouderdom (met name AOW en AWBZ) zullen de komende jaren fors stijgen. Beheersbaarheid van de uitgaven aan de AOW is belangrijk, opdat deze andere nuttige uitgaven (onderwijs, infrastructuur en veiligheid) niet verdringen.

Inmiddels is de afspraak gemaakt dat vanaf 2013 de AOW-leeftijd stapsgewijs wordt verhoogd tot 66 jaar in 2018 en 67 jaar in 2021 en vervolgens wordt gekoppeld aan de stijging van de levensverwachting. Daarmee is een belangrijke stap gezet om de AOW betaalbaar te houden. Ook sluit dit aan bij de ontwikkeling van de levensverwachting. In 1957 was de gemiddelde levensverwachting zo'n 73 jaar, tegenwoordig is die rond de 81 jaar. Deze verhoging op korte termijn maakt wel een (tijdelijke) overbruggingsregeling noodzakelijk voor mensen die zich onvoldoende hebben kunnen voorbereiden op de AOW-leeftijdsverhoging. De huidige kabinetsplannen voorzien alleen in een oplossing voor de onderkant (tot 150 procent van het wettelijk minimumloon).

– *Geen fiscalisering.* Lange tijd speelde in de discussie over betaalbaarheid de fiscalisering een rol als mogelijke oplossing. Nu worden de kosten van de AOW, grotendeels, gedekt door premiebetaling door ingezetenen tussen vijftien jaar en de pensioenleeftijd. Door te fiscaliseren wordt de AOW gedekt uit de algemene middelen. Alle belastingbetalers betalen mee, de grens van de pensioenleeftijd wordt losgelaten. Daarmee wordt ook het idee van premiebetaling losgelaten. Een dergelijke maatregel druist in tegen het verzekeringskarakter van de AOW. Bovendien gaat het daarbij om een verschuiving van de lasten en niet om beheersing en zullen met name de gepensioneerden met een klein extra aanvullend pensioen de gevolgen van fiscalisering voelen.

– *Aanpassingen in de tweede pijler, naar een nieuw pensioencontract.* Zoals hierboven beschreven is er van het begin af aan een relatie gelegd tussen AOW en aanvullende pensioenen. Dat de inkomenspositie van ouderen door de jaren heen is verbeterd, is mede het gevolg van het succes van dit gemengde stelsel. Toch zijn er zorgen over het stelsel van aanvullende pensioenen. De belangrijkste oorzaak daarvan zijn de economische crisis en de huidige rente. Daardoor hebben veel pensioenfondsen een te lage dekkingsgraad van hun toekomstige pensioenverplichtingen. Pensioenfondsen werken vaak met herstelprogramma's, waardoor toekomstige pensioenen naar beneden worden bijgesteld. De bereidheid van jongeren om mee te betalen aan het stelsel kan daardoor onder druk komen te staan. Ten slotte is er onvrede vanuit de hoek van zelfstandigen. In Nederland worden veel mensen rond hun veertigste zzp'er. Er zijn minder zzp'ers die geld apart leggen voor pensioenopbouw dan werknemers. De huidige systematiek binnen de pensioenregelingen leidt ertoe dat deze groep als werknemer jarenlang relatief veel premie heeft betaald, maar weinig heeft opgebouwd. Naast een versimpeling van de toegang tot pensioenfondsen willen zij ook meer pensioenresultaat uit hun jaren als werknemer.

Het kabinet kiest ervoor de pensioenregelingen te versoberen door de jaarlijkse (fiscale) opbouw van pensioenen sterk te beperken. Die voorstellen zijn niet verstandig omdat ze het draagvlak onder het pensioenstelsel eerder versmallen dan verbreden. De FNV heeft al aangekondigd dat de lagere pensioenopbouw niet gepaard gaat met lagere pensioenpremies. Dit om de dekkingstekorten bij pensioenfondsen het hoofd te kunnen bieden. Daardoor zal de combinatie van blijvend hoge pensioenpremies en lagere pensioenopbouw bij jongeren tot lagere bereidheid leiden om het pensioenstelsel te dragen. Zeker omdat het huidige beleid voor jongeren gepaard gaat met plannen voor andere versoberingen, zoals in de kinderopvang en de omvorming van de basisbeurs in een leenstelsel. Ook doet het voorstel niets voor zzp'ers, die gezien de kabinetsmaatregelen ook met lastenverzwaringen te maken krijgen.

Een verstandiger oplossing ligt in navolging van de commissie Goudswaard in een ander soort pensioencontract. Het voorstel van de commissie was het invoeren van een contract waarin wordt gekeken naar de beleggingshorizon van deelnemers. In het huidig pensioencontract legt iedere deelnemer evenveel in en bouwt iedere deelnemer evenveel op. Een werknemer van 25 jaar die 30.000 euro verdient, betaalt evenveel pensioenpremie en bouwt evenveel pensioenaanspraken op als een werknemer van 55 jaar die 30.000 euro verdient. Dat terwijl de inleg van de vijfentwintigjarige veel meer tijd heeft om te groeien dan de inleg van de vijfenvijftigjarige. In een land waarin werknemers beginnen bij dezelfde werkgever en daar blijven tot hun pensionering is dat een houdbaar systeem. Tegenwoordig wisselen echter steeds meer mensen van baan en sector. Je bouwt geen pensioen op bij één pensioenfonds. Daardoor zijn de sectorale solidariteitsmechanismen niet meer vanzelfsprekend. Het blijft verstandig om één doorsneepremie te betalen. Daarmee wordt voorkomen dat er prijsconcurrentie plaatsvindt tussen jongere en oudere werknemers. Wel kan de opbouw worden gevarieerd. In het begin van zijn carrière bouwt een werknemer dan meer pensioen of pensioenaanspraken op dan op het eind. Dit is overigens een maatregel die slechts gefaseerd kan worden ingevoerd.

– *Flexibiliseer de* AOW-*leeftijd*. In de discussie over verhoging van de AOW-leeftijd speelde zowel bij partijen
in de Tweede Kamer als bij sociale partners de wens
om het mogelijk te maken dat mensen met een zwaar
beroep nog steeds op vijfenzestigjarige leeftijd zouden kunnen uittreden. In sommige Europese landen
vormt dit een oplossing voor de zwareberoepenpro-
blematiek. Daarnaast speelde in het kader van het stimuleren van langer doorwerken de wens dat mensen
later hun AOW kunnen in laten gaan om eventuele
pensioengaten op te vangen. Het blijkt dat een sub-
stantieel aantal zelfstandigen om die reden doorwerkt
na 65 jaar. Er is dus behoefte aan meer maatwerk.
Burgers hebben de behoefte om de overgang tussen
werk en pensioen zelf vorm te geven. In het pensioenakkoord tussen sociale partners en de minister van
Sociale Zaken en Werkgelegenheid was flexibilisering van de AOW-leeftijd onderdeel van het pakket,
maar dit voorstel is niet overgenomen in het regeerakkoord. Dat is jammer. Het ontneemt mensen de
mogelijkheid om naar persoonlijke voorkeur de eigen oudedagsvoorziening in te vullen. In zijn verkiezingsprogramma heeft het CDA aangegeven dat de
AOW-uitkering flexibel kan worden opgenomen
tussen 65 en 70 jaar. Doorwerken na 65 jaar zal daarmee worden aangemoedigd. Daaraan kunnen eisen
worden gesteld. De eis dat het aanvullend pensioen
voldoende moet zijn om geen beroep op sociale voorzieningen te hoeven doen lijkt daarbij redelijk. Daarnaast kunnen, anders dan in het oorspronkelijke
voorstel, de actuariële korting[2] en verhoging variëren.
Er zijn landen met een vergelijkbaar systeem die met
hogere percentages werken, bijvoorbeeld IJsland en
Finland.

Het stelsel van oudedagsvoorzieningen in Nederland kan getypeerd worden als een stelsel waarin verantwoordelijkheden adequaat verdeeld zijn over burgers, sociale partners en de overheid. Het resultaat is dat in Nederland het aandeel ouderen dat onder de armoedegrens leeft lager is dan het aandeel jonger dan 65 jaar. Om de overheidsfinanciën op orde te brengen kiest het kabinet ervoor de mogelijkheden van pensioenopbouw in de tweede pijler te beperken. Beter is om het pensioencontract aan te passen, waardoor werknemers in het begin van hun carrière meer pensioen opbouwen en later minder. Onze sociale zekerheid wordt steeds meer gericht op activering. Activering is ook belangrijk met betrekking tot de AOW. Vandaar dat het logisch is om de AOW-leeftijd te koppelen aan de levensverwachting. Daarnaast dient de AOW te worden geflexibiliseerd, waardoor het loont als je langer doorwerkt. Ten slotte is het mooie van de AOW dat het een eenvoudige regeling is. In de loop van de tijd zijn er steeds meer bijkomende inkomensmaatregelen gekomen. Door een fiscaal stelsel met lagere percentages en minder heffingskortingen kan het stelsel eenvoudiger worden gemaakt en de AOW robuuster.

Raymond Gradus en Evert Jan Slootweg

Raymond Gradus is directeur van het wetenschappelijk instituut van het CDA en hoogleraar aan de Vrije Universiteit in Amsterdam.

Evert Jan Slootweg is senior wetenschappelijk medewerker van het wetenschappelijk instituut van het CDA.

Een sociale zekerheid
die staat als een huis

Het huis waarin je woont, staat in een straat. Je leeft samen met je buren in dezelfde straat, die in een wijk ligt. Deze wijk is een deel van je woonplaats, je gemeente. Je woont goed. De straten worden onderhouden. Er zijn tal van voorzieningen: van de winkels tot de bibliotheek, van de sportvelden tot het cultureel centrum, van de scholen tot de zorgcentra. Als je ouder wordt, dan hoef je niet meer te werken en krijg je een uitkering.

De verschillende voorzieningen worden door de gemeenschap betaald en collectief uitgevoerd door de overheid. In Nederland zijn dat het Rijk, de provincies, waterschappen en gemeenten en de door hen gecontroleerde uitvoeringsorganisaties, zoals het UWV. Kenmerkend is ook dat je als individu altijd selectief een beroep doet op deze collectieve voorzieningen. Voor 50PLUS vormt dat besef de basis om aan een generationele politiek inhoud te geven. Niet iedereen heeft alles direct nodig, maar in je leven van jong naar oud kun je wel aan van alles, al dan niet tijdelijk, behoefte krijgen. Je kunt het niet allemaal zelf organiseren. Sommigen hebben, om heel verschillende redenen, zelfs geen kans om het te organiseren. Generationele politiek als rode draad in de 50PLUS-politiek betekent dat bij de politieke keuzes wordt afgewogen of maatregelen niet alleen verstandig zijn voor nu, maar ook of ze te verantwoorden zijn tegenover volgende generaties.

Vanuit dit 50PLUS-denken is onze samenleving gebaseerd op het idee van Rousseau om met elkaar een sociaal contract te sluiten. Het individu heeft een deel van de eigen soevereiniteit overgedragen aan de gemeenschap. Die gemeenschap is georganiseerd in de overheid. Deze overheid hebben we democratisch in de samenleving verankerd door mensen uit onze omgeving te kiezen die de maatregelen van de overheid in het algemeen belang legitimeren door in volksvertegenwoordigingen besluiten te nemen. Tussen kiezers en gekozenen ontstaat een wisselwerking. Er is een wederzijdse afhankelijkheid. Vanuit het sociaal-contractdenken van 50PLUS past daarbij een verdere ontwikkeling naar vormen van directe democratie. De kiezer wil dat de collectieve voorzieningen die hij of zij belangrijk vindt, gerealiseerd worden. De gekozen volksvertegenwoordiger wil dat zijn kiezers tevreden zijn. De politieke discussie is daarbij welk deel van je soevereiniteit je collectief laat behartigen. In de discussie hierover is het politieke antwoord op de vraag wat tot de eigen verantwoordelijkheid van het individu behoort een belangrijk element. Generationele politiek van 50PLUS zal daarbij kijken naar de levensfase van het individu om te bepalen of eigen verantwoordelijkheid kan worden gedragen. In veel gevallen weet een kiezer op het moment van zijn keuze niet welke behoeften hij in de diverse levensfases heeft. Als je jong bent, weet je niet wat je nodig hebt als je oud bent. Een voorbeeld hiervan is de huidige discussie over het pensioenstelsel. Voor jongeren van nu ligt het bereiken van de pensioengerechtigde leeftijd nog zo ver in de toekomst, dat het meebetalen aan een verplicht collectief stelsel niet als vanzelfsprekend wordt gezien. Onze huidige samenleving kraakt en piept, omdat er in de afgelopen decennia steeds meer dure collectieve voorzieningen bij zijn gekomen, waarvan het onduidelijk is of die nu echt generationeel van belang zijn.

De basis daarvoor ligt in ons systeem, waardoor de kiezer op een specifiek moment, namelijk op de verkiezingsdag, overtuigd moet worden. Naast het persoonlijke element – wekt iemand vertrouwen – zijn de verkiezingsbeloftes van belang. Deze beloftes staan in uitgebreide programma's beschreven. Dit heeft zich tot een politiek systeem ontwikkeld waarbij de verkiezingsprogramma's volledige blauwdrukken voor de toekomst zijn geworden. De ene partij beweert nog betere plannen te hebben dan de andere. De blauwdrukken worden bij voorkeur ook nog voorzien van doorrekeningen op de theoretische effecten. Daarvoor wordt meestal een gezaghebbende organisatie als het Centraal Plan Bureau ingeschakeld. Dat heeft tot doel kiezers het gevoel te geven dat een verkiezingsprogramma in relatie staat tot de werkelijkheid. Voor 50PLUS was dat aanleiding om bij de verkiezingen van 2012 geen doorrekening te laten uitvoeren. Dit standpunt is tijdens de Nieuwspoortpresentatie van de diverse doorrekeningen ook door 50PLUS naar voren gebracht. Consequentie van dit systeem is dat partijen elkaar in deze blauwdruk-verkiezingsprogramma's overbieden. Omdat geen van de partijen een meerderheid haalt bij verkiezingen, wordt vervolgens een mix van de diverse programma's in een regeerakkoord verwerkt. Elke partij wil haar eigen punten in het regeerakkoord terugzien. Het gevolg is dat steeds meer zaken onder het algemeen belang zijn komen te vallen. Dat is uitgewerkt in een verzorgingsstaatconcept van wieg tot graf. De uitwerking van deze verzorgingsstaat is doorgeschoten vanuit het electorale streven iedereen tevreden te willen stellen. Steeds meer gaat het politieke denken uit van wat op korte termijn goed voor de mensen zou zijn en er wordt steeds minder gekeken naar de kern van het sociaal contract, namelijk wat met het oog op de lange termijn beter collectief geregeld kan worden dan individueel.

Fundamenteel in de generationele politieke keuze van 50PLUS is een collectieve regeling voor de bestaanszekerheid van mensen. Armoede met al zijn negatieve menselijke en maatschappelijke gevolgen moet worden bestreden. Vanuit dat principe heeft iedereen geld nodig om in de eerste levensbehoeften te kunnen voorzien. Vanuit deze sociale financiële zekerheid voor iedereen is het Nederlandse socialezekerheidsstelsel opgebouwd. Als gevolg van de kiezersbeloften op de korte termijn is er voor elke fase of omstandigheid in iemands leven enige vorm van financiële ondersteuning gekomen. Van kinderbijslag tot de AOW-uitkering en ook daartussenin hebben we in Nederland in ons socialezekerheidsstelsel vele vormen van inkomenssteun gecreëerd. Denk bijvoorbeeld aan de studiefinanciering, maar ook aan de diverse uitkeringen bij arbeidsongeschiktheid, bij werkloosheid of aan nabestaanden. Daarnaast is nog een heel pallet inkomensmaatregelen getroffen in de vorm van toeslagen of heffingskortingen, om ervoor te zorgen dat over een deel van wat iemand met werken verdient geen belasting wordt geheven. Dat daar monstrueuze uitvoeringsorganisaties door zijn ontstaan met een bijbehorende bureaucratie, is dagelijks waar te nemen.

De onderstaande grafiek geeft een beeld van het aantal mensen dat op enige wijze een uitkering ontvangt.

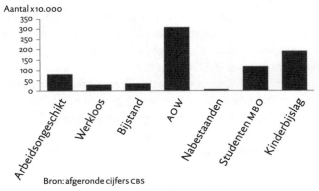

Aantal x10.000

Bron: afgeronde cijfers CBS

Opgeteld hebben 7,8 miljoen mensen op een totaal van ongeveer 16,8 miljoen enige niet-arbeidsgerelateerde vorm van inkomen van de overheid.

Veruit de grootste groep vormen ouderen met een AOW-uitkering. Voor de AOW-gerechtigde levensfase vormt deze uitkering de eerste pijler voor het inkomen. Alleen al daarom is de AOW een goed uitgangspunt voor de 50PLUS-politiek gericht op een toekomstbestendig socialezekerheidsstelsel.

Een socialezekerheidsstelsel wordt gefinancierd door twee geldstromen, namelijk belasting- en premieopbrengsten. Alles wordt in één keer door de Belastingdienst geïnd. Gemakkelijker kunnen we het niet maken, nietwaar? Maar met de premieopbrengsten is eigenlijk iets vreemds aan de hand. Het gaat hierbij om premies voor bijvoorbeeld de oudedagsvoorziening op basis van de Algemene Ouderdomswet. Uitgangspunt is het idee van een verzekering: iedereen betaalt premie en op het moment dat er zich een bijzondere situatie voordoet, wordt er uitbetaald. Wat de AOW betreft, betekent dat dat iedereen gedurende zijn werkzame leven AOW-premie betaalt en als de AOW-leeftijd wordt bereikt (tot voor kort 65 jaar), dan wordt er uitgekeerd. Er zitten twee belangrijke weeffouten in de opzet van deze AOW-uitkering.

Ten eerste worden de betaalde premies niet door de rijksoverheid opzijgezet als spaarpot voor de toekomstige uitkeringen, maar direct uitgegeven aan wie op dat moment 65 jaar of ouder is. Daar was ook de hoogte van de premie aan gekoppeld. De premiebetaler betaalt voor de ouderen van nu. Dat wordt het omslagstelsel genoemd. In feite betaal je dus geen premie, maar gewoon belasting. De inkomsten worden weer uitgegeven. Sterker nog, als er te weinig AOW-premie wordt betaald, dan worden de AOW-uitkeringen uit de overige belastingopbrengsten betaald. Er moet bijgepast worden. Dat is een belangrijke reden voor het huidige VVD-PvdA-kabinet om de leeftijdsgrens versneld te willen verhogen. Daarbij worden alle negatieve gevolgen ondergeschikt gemaakt aan de wens van de overheid om minder geld aan de AOW uit te geven. Dat speelt zich af in een arbeidsmarkt die daarop niet is ingericht. Aan de ene kant is er meer jeugdwerkeloosheid en aan de andere kant zijn er ouderen die langer moeten werken of werk zoeken. Deze situatie leidt tot een stijging van het aantal mensen dat een beroep moet doen op andere socialeverzekeringswetten. Steeds meer mensen vallen tussen wal en schip. Vervolgens worden er nieuwe lapmiddelen bedacht om dat weer een beetje te compenseren, met als gevolg dat die regelingen weer duurder worden. Dat kost de rijkskas weer te veel en dus wordt er weer op de uitkeringen gekort. Sociale gerechtigheid is zo ver te zoeken.

Een tweede weeffout is het hanteren van een volstrekt arbitraire leeftijdsgrens. De oude grens van 65 jaar is historisch wellicht verklaarbaar, maar houdt geen rekening met de verschillen tussen mensen. Zo is niet iedereen fysiek of geestelijk op dezelfde dag klaar met werken. Sommigen zullen eerder willen stoppen met werken, anderen later. Dit heeft tevens als merkwaardig gevolg dat iemand boven de 65 jaar economisch een kostenpost dreigt te worden. Ook werd bij de invoering uitgegaan van een beperkte levensverwachting na het bereiken van de vijfenzestigjarige leeftijd, maar die levensverwachting is flink toegenomen. In 1956 was de levensverwachting voor mannen 71 jaar en voor vrouwen 74 jaar, in 2011 was dat 79 respectievelijk 84 jaar (gegevens CBS). Dat leidt bij een omslagstelsel tot een groot financieringsprobleem op het moment dat er veel ouderen zijn bij een dalend aantal werkenden dat de premie moet opbrengen. Dit probleem is door het kabinet-Rutte I en met een schepje erbovenop door Rutte II 'opgelost' door de uitkeringsduur te verkorten; de ingangsleeftijd wordt in stapjes verhoogd tot uiteindelijk 67 jaar. Maar de eerste weeffout blijft zo bestaan en de tweede wordt eigenlijk niet opgelost, maar vooruitgeschoven. Geluiden dat de leeftijdsgrens verhoogd zou moeten worden naar 71,5 jaar, worden dan ook gehoord.

Het in de jaren vijftig van de vorige eeuw bedachte systeem gaat ervan uit dat iemand in beginsel tot zijn AOW-gerechtigde leeftijd blijft werken en in zijn inkomen voorziet. Maar de werkelijkheid is dat veel mensen helemaal niet meer (kunnen) werken, maar afhankelijk zijn van een uitkering. Dat komt enerzijds door arbeidsongeschiktheid en anderzijds door de uitsluiting van oudere werknemers uit het arbeidsproces. Simpel gezegd: mensen verliezen hun baan, komen niet meer aan de bak en zijn aangewezen op een werkloosheidsuitkering of de bijstand. Wie wil werken, vindt niets – een werkelijkheid waar het huidige kabinet met zijn plannen voor verdere versoepeling van het ontslagrecht geen oog voor heeft. Vanuit financieel perspectief levert een verhoging van de AOW-leeftijd dus maar ten dele een besparing op. Wat minder aan AOW-uitkeringen wordt uitgegeven, zal leiden tot meer uitkeringen op grond van andere volksverzekeringen. Optisch wordt er bezuinigd, maar in feite is sprake van een waterbedeffect: als je de ene kant naar beneden duwt, gaat het bed aan de andere kant omhoog.

Een van de grootste 'verworvenheden' van de verzorgingsstaat is het stelsel van de sociale zekerheid. In een verstandige generationele 50PLUS-politiek blijft het uitgangspunt van het stelsel gebaseerd op het bieden van zekerheid aan de burger in de vorm van een financiële basis. Het huidige stelsel uit de vorige eeuw is verouderd en sluit niet aan op

de behoefte vanuit de samenleving om een eerlijk en betaalbaar stelsel ook voor de toekomst mogelijk te maken.
Het huidige socialezekerheidsstelsel, opgebouwd vanuit
electorale wensenpakketjes, maakt mensen alleen maar afhankelijk van de overheid of de uitkerende instanties. Dure
bureaucratische systemen met controleapparaten zijn het
gevolg. Door de overkill aan regulering en controles is een
zichzelf in stand houdend systeem opgezet. Met name de
instanties die de regelingen uitvoeren (zoals gemeentelijke
sociale diensten, SVB, UWV) hebben er belang bij om te
blijven voortbestaan. Dit kost de samenleving veel geld,
dat opgebracht moet worden door belasting- en premie-
heffing. De verschillende regelingen met eigen bepalingen
maken mensen afhankelijk van het systeem. De eigen
kracht van de mensen wordt zo ontkend en onderdrukt.
Sommigen wenden hun eigen creativiteit aan om hier on-
deruit te komen. Dat leidt dan weer tot onrechtvaardige
verschillen. Vervolgens wordt gepoogd deze verschillen en
onrechtvaardigheden weer met behulp van nieuwe regels
te ondervangen, met extra bureaucratie tot gevolg.

De samenleving zal moeten streven naar een nieuwe vorm
van sociale zekerheid. Dit moet een daadwerkelijke zekerheid zijn die inspeelt op de behoefte van mensen. Deze
nieuwe vorm van sociale zekerheid breekt met het huidige
systeem. De grootste nadelen in het huidige systeem zijn
de onduidelijke regels van de verschillende regelingen die
ontworpen zijn voor elke denkbare situatie en de hoge
uitvoeringskosten als gevolg van de bureaucratie. Om te
komen tot de noodzakelijke vernieuwing van onze verzorgingsstaat zouden alle bestaande socialezekerheidsregelingen moeten worden vervangen door een sociaal budget.
Hierbij moet gedacht worden aan de bijstand, WAO, Ziektewet, AOW en WW, maar ook aan fiscale inkomensonder-

steunende regelingen en de kinderbijslag. Met de vervanging van al deze uitkeringen door een sociaal budget kunnen ook alle betrokken uitvoeringsinstanties worden opgeheven. De nieuwe sociale zekerheid zal dan gebaseerd worden op één regeling: de Wet Sociaal Budget. Iedere Nederlandse ingezetene ontvangt direct of indirect een sociaal budget gebaseerd op het niveau van de huidige AOW-uitkering. Gekozen wordt voor de AOW als basis, omdat dit een regeling is die uitgaat van de grondgedachte van het sociale budget. Deze uitkering kent geen vermogenstoets. De systematiek van uitvoering is analoog aan het AOW-systeem, maar dan wel meer op het individu gericht. Voor het fiscale systeem betekent dit dat er geen onderscheid is tussen tweeverdieners en alleenverdieners. Iedereen ontvangt een sociaal budget. Alleen minderjarigen die niet zelfstandig wonen, krijgen een verlaagd sociaal budget gerelateerd aan de huidige hoogte van de kinderbijslag. Het verschil met de kinderbijslag is dat dit sociale budget direct is gekoppeld aan het kind met een eigen burgerservicenummer en dus geen bijslag is op het inkomen voor de ouders van het kind. Als wettelijke vertegenwoordiger van het kind kunnen ouders uiteraard dit budget wel gebruiken om een deel van de kosten van het onderhoud van het kind te betalen.

Belangrijke voorwaarde voor invoering is de financiële robuustheid van dit nieuwe socialezekerheidssysteem. Door de bundeling van de huidige uitkeringen en financiële overheidsbijdragen tot één regeling zal deze nieuwe sociale zekerheid ook begrotingstechnisch voor de overheid verantwoord zijn, met name omdat de uitvoeringskosten veel lager zullen zijn. Voorop staat daarbij de sociale gerechtigheid die een sociaal budget vertegenwoordigt. Ook uitwerkingen van een sociaal budget door BIEN, het Basic Income

Earth Network, laten de betaalbaarheid zien. Als vervolg op deze aanzet voor de discussie is een financiële doorrekening met de daarbij behorende financiële dekking op zijn plaats. Daarmee kan ook de financiële degelijkheid van het sociale budget zichtbaar worden gemaakt.

Daarnaast is er in dit nieuwe systeem de mogelijkheid individuele verzekeringen af te sluiten om inkomensterugval te voorkomen, bijvoorbeeld als gevolg van werkloosheid, ziekte, arbeidsongeschiktheid of ouderdom. Voor deze verzekeringspremies is tot een bepaald maximum fiscale compensatie mogelijk. Daarmee worden deze aanvullingen op het sociale budget wel fiscaal belast bij uitbetaling.

Een ander belangrijk verschil met het huidige verouderde socialezekerheidsstelsel is dat het sociale budget uitsluitend aan een persoon is gebonden en niet aan zijn leefsituatie. Dat betekent dat partner- en vermogenstoetsen niet aan de orde zijn. Daarmee wordt bereikt dat een eigen huis nooit gedwongen verkocht hoeft te worden om in aanmerking te komen voor een sociaal budget, zoals nu bij de bijstand. In de uitwerking zal misbruik, bijvoorbeeld door dubbele budgetten, moeten worden voorkomen.

Een socialezekerheidssysteem met een sociaal budget levert een inkomensbeeld als in de grafiek op de volgende pagina op.

Het arbeidsinkomen zal de belangrijkste bron van inkomsten zijn om van te leven. Het sociale budget fungeert daarbij als de eerste pijler. Het overige inkomen zal bestaan uit rente- en eigen beleggingsopbrengsten. Voor mensen die een verzekering hebben afgesloten, zijn dit tevens de verzekeringsuitkeringen, bijvoorbeeld ten gevolge van arbeidsongeschiktheid, ziekte of werkloosheid. Voor senioren kunnen de overige inkomsten voornamelijk bestaan uit de pensioenuitkeringen.

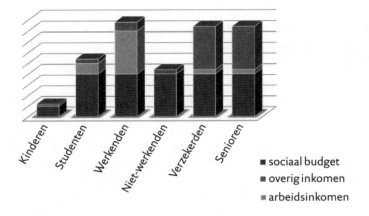

Kinderen Studenten Werkenden Niet-werkenden Verzekerden Senioren

■ sociaal budget
■ overig inkomen
■ arbeidsinkomen

Het op de toekomst gerichte socialezekerheidsstelsel vanuit een generationele 50PLUS-visie kent uitsluitend dit
'sociale budget'. Het begrip 'sociaal budget' gaat namelijk
uit van de positieve gedachte dat iedere burger, jong of oud,
een gelijke startpositie heeft om in de eigen levensbehoefte
te kunnen voorzien. Een sociaal budget kent daarbij een
omvang die maatschappelijk sociaal wordt gevonden. Er is
geen relatie met uitgaven die als noodzakelijke basis worden beschouwd. Wat voor het ene individu een basisuit-
gave is (bijvoorbeeld een televisie), is voor de ander overbodig (bijvoorbeeld vanwege de keuze voor internet). Een
sociaal budget is iets anders dan bijstand als vangnetcon-
structie. Een vangnet gaat uit van een negatief beeld, namelijk van opvang die noodzakelijk is geworden omdat ander
inkomen is weggevallen. Dat negatieve beeld gaat uit van
een verslechtering van iemands situatie. Een sociaal budget gaat uit van een bestaansfundament gericht op een verbetering van ieders eigen leven vanuit de eigen mogelijkheden. Bij de een is dat meer dan bij de ander. Mensen zijn
nooit gelijk, alleen gelijkwaardig. Maar sociaal betekent
voor de generationele 50PLUS-politiek dat de samenleving

is als een huis waarin je woont, waarin mensen van alle generaties beschutting vinden en de ruimte om te leven, met
eigen keuzes binnen dat huis.

Norbert Klein

*De auteur is kandidaat-bestuurslid van het wetenschappelijk bureau
van 50 PLUS en lid van de Tweede Kamer.*

Verantwoording

De essays in deze bundel werden geschreven op uitnodiging van het debatcentrum De Rode Hoed en het Instituut Gak door de wetenschappelijke bureaus van de politieke partijen zoals vertegenwoordigd in de huidige Tweede Kamer. In een enkel geval is de auteur iemand die daartoe door een van de wetenschappelijke bureaus werd aangezocht. De enige partij die ontbreekt is de PVV, omdat zij geen wetenschappelijk bureau heeft.

De auteurs kregen het verzoek in het bijzonder aandacht te besteden aan drie onderwerpen: een visie op de verzorgingsstaat waarin heden, verleden en toekomst aan de orde komen en vanuit deze visie een beschouwing leveren over een geselecteerd thema in de sociale zekerheid, waarbij telkens twee partijen met een verschillende kijk aan elkaar gekoppeld werden. Dat leverde de volgende thema's en paren op:

Bijstand – Wetenschappelijk Bureau SP & Bureau de Helling (GroenLinks)

WW – Wiardi Beckman Stichting (PvdA) & de Mr. Hans Van Mierlo Stichting (D66)

WIA/Wajong/Wsw – Mr. G. Groen van Prinstererstichting (ChristenUnie) & Guido de Brès-Stichting van de SGP

167

AWBZ – Prof. mr. B.M. Teldersstichting (VVD) & de Nicolaas G. Pierson Foundation (PvdD)

AOW – Wetenschappelijk Instituut CDA & het Wetenschappelijk Bureau (i.o) 50PLUS

Ten slotte vroegen we de auteurs om vanuit de visie van hun partij een suggestie te doen voor een verbetering of aanpassing van de sociale zekerheid.

De redactie heeft zich uitsluitend beziggehouden met de presentatie en leesbaarheid van de essays. De inhoud is geheel de verantwoordelijkheid van de auteurs.

De samensteller

Noten

DE ONWIL OM SOLIDARITEIT TE ORGANISEREN

1 Uit de autobiografie van Fedde Schurer, *De beslagen spiegel. Herinneringen*, Moussault, Amsterdam, 1969, p. 46.

2 Zie Willem Adema, Pauline Fron en Maxim Ladaique (2011), 'Is the European Welfare State Really More Expensive?: Indicators on Social Spending, 1980-2012; and a Manual to the OECD Social Expenditure Database (SOCX)', OECD *Social, Employment and Migration Working Papers*, No. 124, OECD Publishing.

3 www.socialevraagstukken.nl/site/2013/01/09/versobering-verzorgingsstaat-is-slecht-voor-economische-groei.

4 Zie hierover ook: Barbara Vis, *De Crisis: de Redder van de verzorgingsstaat?!*, Talmalezing 2011, Vrije Universiteit.

5 Zie bijvoorbeeld het *World Economic Outlook* van het IMF van oktober 2012.

6 Tony Judt, *Ill Fares the Land*, Penguin Press.

7 Zie Jos Becker, *Steun voor de Verzorgingsstaat in de Publieke Opinie, 1970-2007*, Sociaal Cultureel Planbureau, maart 2005, p. 85.

8 Sociaal en Cultureel Rapport, *In het zicht van de toekomst*, Sociaal en Cultureel Planbureau, Den Haag, 2004.

9 Bert de Vries, *Overmoed en Onbehagen. Het Hervormingskabinet Balkenende*, Uitgeverij Bert Bakker, 2005, p. 21.

10 Deze paragraaf leunt in sterke mate op de analyse van Tijmen Lucie, 'De Algemene Bijstandswet. Parels uit de Parlementaire Geschiedenis, deel 3', *Spanning*, juni 2012.

11 Zie: *Handelingen van de Eerste Kamer*, debat over de dubbele heffingskorting, 6 december 2011, p. 7.

12 Ibid., p. 13.

13 Marcel van Dam, *Niemandsland*, De Bezige Bij, Amsterdam, 2009.

EEN COLLECTIEF SCHOLINGSFONDS NAAST DE WW

1 We zijn veel dank verschuldigd aan Frans Becker, Paul de Beer, Leo Hartveld, Thijs Kerckhoffs en Marc van der Meer voor hun commentaar op eerdere versies van deze tekst.

2 Althans, garantie op een baan voor het leven bestaat niet meer. Zo'n tachtig procent van de ontslagaanvragen wordt door het UWV goedgekeurd, en meer dan negentig procent bij de kantonrechter. Als een werkgever van zijn personeel af wil, dan kan dat dus gewoon zonder al te veel moeite (kantonrechterroute) of kosten (UWV-route).

3 Het voert te ver om de *evidence base* van de toerustingsagenda uitvoerig te bespreken. Duidelijk is dat de meest ambitieuze Scandinavische verzorgingsstaten, samen met Duitsland, Nederland en Oostenrijk, bovengemiddeld goed presteerden qua groei gedurende de goede periode van 1997 tot 2007. Zie: Anton Hemerijck, *Changing Welfare States*, Oxford, 2013.

4 Anton Hemerijck, *Changing Welfare States*, Oxford, 2013.

5 Verwarrend in de voorstellen van het kabinet is dat hoewel alle ontslagaanvragen via het UWV moeten gaan lopen, het advies van het UWV niet bindend is. Wat betreft de beperking van de maximumontslagvergoeding: deze treft vooral ouderen en zolang zij zo moeilijk werk kunnen vinden, is terughoudendheid hier geboden. In het licht van een toerustingsagenda gaat de nadruk echter eerder uit naar goede baan-naar-baanbegeleiding, scholing en WW dan naar een groot geldbedrag bij ontslag.

6 Alfred Kleinknecht, Ro Naastepad en Servaas Storm, 'Het nut van ontslagbescherming', *S&D* 2012/3, p. 25.

7 WRR, *Investeren in werkzekerheid*, Den Haag 2007, p. 18.

8 Ook de WRR (*Investeren in werkzekerheid*, 2007) en Ton Wilthagen, Evert Verhulp, Linde Gonggrijp, Ronald Dekker en Marc van der Meer (*Naar een nieuw Dutch Design voor flexibel én zeker werk*, 2012) pleiten voor een soort scholingsfonds, alleen dan in de vorm van een zelfgespaarde 'rugzak' (analoog aan de Oostenrijkse *Abfertigung Neu*).

9 Vanaf de jaren negentig vonden de Deense sociale partners, de vakbonden, de werkgevers en de overheid elkaar in een sociaaleconomische strategie van scholing en training. Zie: Moira Nelson, (2010), 'The Adjustment of National Education Systems to a Knowledge-Based Economy: A New Approach', in *Comparative Education* 46 (4): pp. 463-486.

10 Dit idee is overgenomen uit Ton Wilthagen, Evert Verhulp, Linde Gonggrijp, Ronald Dekker en Marc van der Meer, *Naar een nieuw Dutch Design voor flexibel én zeker werk*, 29 november 2012.

11 Zie ook Paul de Beer in *de Volkskrant* van 15 december 2012, 'Werkeloos ziet iedereen toe hoe de werkloosheid met sprongen stijgt'.

12 Anton Hemerijck, *De toerustingsimperatief en de eurocrisis*, Oratie VU, 25 oktober 2012, p. 19.

13 Voorstel Mariëtte Hamer, eind 2011.

14 WRR, *Investeren in werkzekerheid*, Den Haag 2007.

15 WRR, *Investeren in werkzekerheid*, Den Haag 2007, p. 11.

16 Zie het voorstel van Bruno Palier, Anton Hemerijck en Frank Vandebroucke ('The EU Needs a Social Investment Pact', *Ose Paper Series*, Brussel, mei 2011) om een Europees budgettair kader te ontwikkelen waarbij sociale investeringen, met in potentie grote langetermijnrendementen, worden gemarkeerd als publieke investeringen en niet als consumptieve uitgaven.

1   A. Witteloostuijn, van & C. Hendriks (2013), 'De paradox van Nederland: waarom het slecht gaat met een succesvolle economie', in: A. Schout, & J. Rood (red.), *De toekomst van Nederland in Europa*, Boom, Amsterdam (te verschijnen).

2   A. van Witteloostuijn, M. Sanders en C. Hendriks (2011). *Ordening op Orde: een sociaal-liberale visie op de verhouding tussen mens, markt en overheid*, Mr. Hans van Mierlo Stichting, Den Haag.

3   PPC (2009), *Vertrouw op de eigen kracht van mensen*, Mr. Hans van Mierlo Stichting, Den Haag.

4   Deze toevoeging is met name relevant in de Nederlandse politieke context als onderscheid met het (conservatief) liberalisme van de VVD.

5   Andere termen die in gebruik zijn, zijn participatiemaatschappij en kansenmaatschappij.

6   A. van Witteloostuijn, M. Sanders en C. Hendriks (2011). *Ordening op Orde: een sociaal-liberale visie op de verhouding tussen mens, markt en overheid*, Mr. Hans van Mierlo Stichting, Den Haag.

7   Ibid.

8   Andersom zou natuurlijk ook kunnen: marktprincipes reguleren de handelingen van bureaucratische actoren.

9   Van Witteloostuijn et al. (2011, 2012), *Governing Governance: a liberal-democratic view on governance by Relationships, Bureaucracies and Markets*, Mr. Hans van Mierlo Stichting, Den Haag.

10 Dit standpunt over de WW kan overigens niet los worden gezien van de bredere arbeidsmarkthervormingen van D66, zoals soepeler ontslagrecht, (om)scholing, aanpassing van de Wajong.

11 Niet zozeer een sociaaleconomisch 'grondrecht', maar een aanspraak op een uitkering op basis van een verzekeringscontract.

12 L. de Ruig, B. Frouws en N. Stroeker, *De mechanismen achter onbedoelde effecten van sociale zekerheid en re-integratie*, Research voor Beleid, Zoetermeer, 2011.

13 CBS, *Werkhervattingskansen na instroom in de* WW. *Leeftijd is niet het enige dat telt*, Den Haag, Centraal Bureau voor de Statistiek, Den Haag, 2012.

14 De WW is niet door de markt te organiseren, onder andere vanwege risicoselectie: de kans op werkloosheid is maar moeilijk te voorspellen.

SOCIALE GERECHTIGHEID
EN SOCIALE VERANTWOORDELIJKHEID

1 W. Beekers, *Het bewoonbare land. Geschiedenis van de volkshuisvestingsbeweging in Nederland*, Boom, Amsterdam, 2012.

2 Inleiding van mr. dr. J.P. Balkenende voor de Bilderbergconferentie van de stichting NCW, *Op eigen kracht; van verzorgingsstaat naar participatiemaatschappij*, Oosterbeek, 22 januari 2005.

3 R. Kuiper & C. Visser (red.), *Over de schutting. Op weg naar nieuwe solidariteit*, De Vuurbaak, Barneveld, 2005.

4 P. Schnabel, 'Bedreven en gedreven. Een heroriëntatie op de rol van de Rijksoverheid in de samenleving', in: *Verkenningen. Bouwstenen voor toekomstig beleid*, Sdu Uitgevers, Den Haag, 2001.

5 R. Kuiper & C. Visser (red.), *Over de schutting. Op weg naar nieuwe solidariteit*, De Vuurbaak, Barneveld, 2005, p. 13.

6 T. Abbas & L. Commandeur, *Modern Noaberschap*, Provincie Overijssel, Zwolle, 2012.

7 Tweede Kamerfractie ChristenUnie, *Een mens is meer dan zijn beperking* (notitie), Den Haag, 2008.

8 J. Westert, 'Samen sterk voor werk', in: A. van Renssen (red.), *Arbeid en handicap. Over integratie van mensen met een handicap op de arbeidsmarkt*, GMV, Zwolle 1998.

OOG VOOR ELKAAR:
EEN BASISUITKERING MET TOESLAGEN

1 De auteur dankt drs. J.W. van Berkum, J. de Bruin, dr. E. Dijkgraaf en G. Leertouwer LLM voor hun kritische commentaar op een conceptversie van dit essay.

2 Een aandachtspunt hierbij is dat ondernemers niet onterecht loonkostensubsidie ontvangen.

3 Vergelijk de gelijkenis van de rijke dwaas in het Lucasevangelie, hoofdstuk 12, pp. 13-21.

4 Het aanpassen van een functie aan de mogelijkheden van een kandidaat-werknemer met een beperking.

5 Bedoeld is de groep met een loonwaarde van 30 procent of meer.

MINDER OVERHEIDSSTEUN
EN MEER EIGEN VERANTWOORDELIJKHEID

1 P.W.A. Cort van der Linden, *Richting en beleid der Liberale Partij*, J.B. Wolters, Groningen, 1886.

2 S. Stuurman, *Wacht op onze daden. Het liberalisme en de vernieuwing van de Nederlandse staat*, Bert Bakker, Amsterdam, 1992, pp. 299 en 305.

3 Marcel Bots, *Beknopte geschiedenis van de Liberale Partij* (herdruk), Liberaal Archief, Gent, 2012, pp 19-20.

4 G. Taal, *Liberalen en radicalen in Nederland, 1872-1901*, Martinus Nijhoff, Den Haag, 1980, pp. 110-124.

5 J.G.S.J. van Maarsseveen, 'N.G. Pierson (1839-1909)', in G.A. van der List en P.G.C. van Schie (red.), *Van Thorbecke tot Telders. Hoofdpersonen uit de geschiedenis van het Nederlandse liberalisme vóór 1940*, Teldersstichting, Assen/Maastricht, 1993, pp. 100-110, i.h.b pp. 106-107.

6 Vergelijk artikel 19 uit het eerste *Beginselprogram* van de VVD (1948): 'Armoede en gebrek, ten gevolge van oorzaken, die de indi-

viduele mens niet kunnen worden toegerekend, behoren door een doeltreffende organisatie van sociale wetgeving, waar mogelijk op de grondslag van verzekering, te worden gelenigd. Deze organisatie moet zodanig worden ingericht, dat ondermijning van het eigen verantwoordelijkheidsbesef van de individuele mens wordt voorkomen.' Zie voor het denken over sociale zekerheid in de tussenliggende periode de voorlopers van de vvd: Patrick van Schie, *Vrijheidsstreven in verdrukking. Liberale partijpolitiek in Nederland 1901-1940*, Uitgeverij Boom, Amsterdam, 2005) pp. 130-140 en pp. 290-291.

7 Alexis de Tocqueville, *Over het pauperisme*, Voltaire, 's-Hertogenbosch, 2007, pp. 25-26.

8 Ibid., pp. 19-20.

9 Ibid., pp. 25-26.

10 Ibid., p. 27.

11 Albert Jan Kruiter, *Mild despotisme. De hedendaagse democratie en verzorgingsstaat door de ogen van Alexis de Tocqueville*, Van Gennep, Amsterdam, 2010, pp. 60-65 en p. 108.

12 De begrippen negatieve (vrijheid van) en positieve (vrijheid tot) vrijheid werden reeds door Benjamin Constant gebruikt, doch worden tegenwoordig veelal ontleend aan Isaiah Berlin. Zie: *Twee opvattingen van vrijheid* (Amsterdam, 2010 [oorspronkelijk 1958]).

13 Hoewel John Stuart Mill kan worden gezien als auteur van een van de liberale standaardwerken – *On Liberty* – biedt zijn gedachtegoed zelfs voor socialisten aanknopingspunten. Voor sommige liberalen geeft Mill de staat dan ook wat al te veel ruimte in het bevorderen van de positieve vrijheid. Zie bijvoorbeeld zijn *Chapters on Socialism*, waarin Mill pleit voor een systeem van herverdeling en vergaand overheidsingrijpen bij de vorming van arbeiders.

14 Michael Freeden, 'The coming of the welfare state' in: Terence Ball en Richard Bellamy (eds.), *The Cambridge History of Twentieth-Century Political Thought*, Cambridge U.P., Cambridge, 2003, pp. 7-44 en pp. 23-24.

15 De Teldersstichting wees daarbij de weg met het geschrift *So-*

ciale wetgeving; misbruik, oneigenlijk gebruik, nieuwe wegen (geschrift 22) uit 1972; in de oppositiejaren onder Hans Wiegel maakte de partij er een speerpunt van, maar elders werd het destijds als onethisch beschouwd de veronderstelling op te werpen dat uitkeringstrekkers misbruik maakten van sociale wetgeving.

16 J.G. Rietkerk (vz), P.H. Labohm (secr.) e.a., *Sociale zekerheid nu en morgen*, geschrift 28 van de Prof. mr. B.M. Teldersstichting, Den Haag, 1976.

17 E.J.J.E. van Leeuwen-Schut (vz) e.a., *Over ontgroening en vergrijzing. Demografie en economisch draagvlak*, geschrift 71 van de Teldersstichting, Den Haag, 1990.

18 Dian Van Leeuwen-Schut (vz), Dieuwertje Kuijpers (secr.) e.a., *Eigen keuze, samen sterk. Duidelijkheid geeft zekerheid voor arbeidsmarkt en pensioenen*, geschrift 116 van de Teldersstichting, Den Haag, 2012.

GERECHTIGHEID, VERANTWOORDELIJKHEID, RENTMEESTERSCHAP EN SOLIDARITEIT

1 Het SCP hanteert dit criterium als de armoedegrens.

2 Bij een actuariële korting gaat het erom dat wordt aangegeven hoeveel minder AOW je ontvangt indien je eerder dan 67 jaar met pensioen gaat en omgekeerd: hoeveel meer AOW je ontvangt wanneer je doorwerkt na 67 jaar. Volgens het CPB was dit percentage 6,5%.